Delicias veganas

Más de 80 exquisitas recetas

Delicias veganas

Más de 80 exquisitas recetas

Toni Rodríguez

OCEANO AMBAR

DELICIAS VEGANAS

Fotografía: BECKY LAWTON
Estilismo de atrezzo: AGNES COBOTAITE
Postproducción: CHRISTIAN LOBO
Ilustraciones: LAVANDAART PARA DREAMSTIME
Diseño y cubierta: JORDI GALEANO
Edición: PERE ROMANILLOS
Edición digital: JOSE GONZÁLEZ
Edición a cargo de ESTHER SANZ

© 2011, Toni Rodríguez

© 2011, Editorial Océano, S.L.
GRUPO OCÉANO - Milanesat 21-23 – 08017 Barcelona
Tel: 93 280 20 20 – Fax: 93 203 17 91
www.oceano.com

ISBN: 978-84-7556-771-6 — Depósito legal: B-29461-LIV
Impreso en España - Printed in Spain
9003173010911

Porque el principal ingrediente de toda receta es el amor,
a todas las personas que quieren a los animales
y disfrutan de la buena cocina.

Sumario

Comer, beber, gozar

Hace más de diez años dejé de comer animales. Tardé mucho en darme cuenta que comer músculos, membranas y otros productos era sólo algo que disfrutaba... pero era cuestión de vida o muerte para aquellos que llegaban a mi plato. Ahora que lo pienso, ¿cómo podía sentir placer al comer órganos de animales en lugar de tomates, tofu, hummus o pesto? Debí estar loco entonces, o quizá la locura me llegó hace diez años. Definitivamente, ser diferente y sentir intensa empatía por los animales debe ser un tipo hermoso de locura.

No he renunciado al placer. De hecho, íntimamente creo que soy un edonista. Siempre ando buscando nuevos sabores, prefiero un poco de sol en el rostro, viajar en lugar de quedarme quieto, comer, beber, gozar... Quizá por eso se me hace la boca agua cuando abro el libro que tienes en tus manos.

Conozco a Toni desde que tiene 17 años, cuando soñaba con convertirse en una estrella del rock. Ambos dejamos de comer animales porque creemos que tienen el mismo derecho que nosotros a no ser devorados y a disfrutar de sus vidas tranquilamente y en libertad. Eso lo entendemos con nuestras cabezas y corazones; y estas recetas nos hacen entender con el paladar que no existe ninguna razón para seguir enviando animales al matadero.

Este libro contiene algo más que simples recetas. Sus páginas están llenas de encuentros amorosos, salidas de picnic, cenas formales, juegos, regalos... Contienen infinidad de escenarios de goce, sin ninguna sombra de sufrimiento.

Francisco Vásquez Neira
Cofundador de AnimaNaturalis Internacional

La cocina es amor

Mi padre me enseñó un principio fundamental: "Hay que trabajar muy duro para conseguir cualquier cosa que desees". Trabajo y... mucho amor. Porque el principal ingrediente de toda receta es el sentimiento, la pasión que pones a la hora de elaborarla. De hecho, empecé a cocinar por amor. Mi pareja, también vegana, no podía hacerlo por trabajo y de ahí surgió una nueva pasión: la cocina sana.

Soy vegano por motivos éticos. Me niego a consumir algo que conlleve cualquier maltrato animal. En mis recetas nunca se utilizan ingredientes que provengan de animales (carne, leche, huevos, miel...). Si la cocina es amor, no puede haber sufrimiento de por medio.

Como chef vegano me apasiona probar cosas nuevas en la cocina. Este libro es un buen ejemplo. En sus páginas encontrarás un gran número de recetas originales, divertidas y fáciles de preparar. Descubrirás nuevas texturas, nuevos sabores, nuevas formas de preparar ingredientes cien por cien sanos y naturales.

Espero que disfrutes y hagas disfrutar a tus comensales con las propuestas de *Delicias Veganas*. Y si te apetece probar alguna receta más, no olvides entrar en www.lujuriavegana.com. ¡Allí te espero con nuevas ideas!

Para terminar quiero dar mi más sincero agradecimiento a todo el equipo de la Editorial Océano. Sin ellos, este libro no hubiera sido posible. Un millón de gracias, de corazón.

Toni Rodríguez

Tentación vegana

Se pueden hacer cosas muy buenas siendo vegano. He ahí la filosofía de Toni Rodríguez, un joven y entusiasta cocinero que un buen día dejó atrás su trabajo como informático y creó Lujuria Vegana. Sugerente nombre para un equipo de profesionales que elaboran y comercializan a diario un sinfín de exquisitas delicias veganas libres de ingredientes de origen animal. Toni es autodidacta y siempre anda experimentando con nuevos sabores, aromas o texturas con los que sorprender a una clientela cada vez más fiel y numerosa. Clientes veganos… y no veganos, porque sus innovadoras tartas, brownies, galletas o pasteles son una deliciosa tentación que atrae a todo tipo de público: personas con exceso de colesterol, alérgicos al huevo y/o a los lácteos, gente que quiere saltarse la dieta pero sin pasarse o que simplemente está dispuesta a probar algo nuevo, sorprendente y delicioso.

Caprichos a la carta

La pionera aventura empresarial de Toni Rodríguez empezó en la pequeña cocina de su casa. Allí experimentaba con todo tipo de ingredientes dulces y salados e indagaba imaginativas alternativas veganas para crear sorprendentes recetas. Pasaba muchas horas tras los fogones y poco a poco fue adquiriendo la experiencia necesaria para hacer realidad su sueño: crear el primer obrador de pastelería vegana que existe en Europa. Dicho y hecho: junto a la emprendedora Rosa Avellaneda iniciaron una andadura profesional que pronto empezó a cosechar excelentes críticas. Y es que sus dulces propuestas no pueden ser más apetitosas y sugerentes: pastel de queso vegano, galletas crujientes al coco y cristales de frambuesa, bomba de chocolate con mousse de manteca de cacahuetes y chocolate glasé, pastel de zanahoria con cobertura de queso vegano…

Una delicia para los sentidos

El autor de este libro forma parte de una nueva generación de jóvenes chefs empeñados en hacer llegar la cocina vegana a todo el público. La apuesta por las materias primas de primera calidad unida a la audacia y originalidad de sus creaciones aportan un aire renovado a este tipo de cocina elaborada sin ingredientes de origen animal.

Con este libro, el joven chef nos invita a descubrir un nuevo concepto de cocina vegana a través de una serie de recetas variadas, sorprendentes y muy saludables que harán las delicias de nuestros comensales. Una apuesta sencilla, fresca y original, con un toque innovador y creativo. En definitiva, una delicia vegana para los sentidos.

Dónde saborear las propuestas del autor

Lujuria Vegana dispone de una amplísima carta de repostería vegana que un inquieto Toni Rodríguez renueva cada temporada. Además, también sirven sus productos a diversos clientes como hoteles, restaurantes, cafeterías, caterings, etc.

De momento, disponen de varios puntos de venta, todos ellos en Barcelona y alrededores. Concretamente, están en la Pastelería La Estrella (Nou de la Rambla, 32), Gopal (Escudellers, 42), Ecocentre Vegania (Mallorca, 330), Veganoteca (Valldonzella, 60), Obrador Lujuria Vegana (Ptge. Can Polític 19. L'Hospitalet de Llobregat) y Tot Natural (Pi i Margall, 91. Sant Boi de Llobregat). Las propuestas de Toni Rodríguez también pueden pedirse por encargo, ya sea por correo electrónico (info@lujuriavegana.com), por teléfono (630 006 812) o a través de su página en Facebook (www.facebook.com/lujuriavegana).

¿De qué estamos hablando?

Cada vez hay más personas que deciden reducir el consumo de alimentos de origen animal. Por rechazo a la explotación de las especies, por salud, por reducir el impacto medioambiental de la industria ganadera... Las motivaciones son muy variadas y por lo tanto existen diferentes tipos de vegetarianismo. Eso sí, todas las dietas vegetarianas tienen en común su rechazo al consumo de carne, ya sea de aves, mamíferos o peces. Es cierto que algunas personas que comen pescado se autodenominan vegetarianos, aunque en realidad deberían denominarse "semivegetarianos".

En general, se puede establecer la siguiente clasificación, según de qué productos de origen animal se abstiene la persona:

Vegetariano. No come carne, pescado o sus productos derivados, aunque puede o no incluir en su dieta el consumo de huevos o productos lácteos. La palabra "vegetariano" deriva del latín *vegetus*, que significa "sano" y que se utilizó oficialmente por primera vez el 30 de septiembre de 1847 durante la ceremonia inaugural de la Vegetarian Society en el Reino Unido. Anteriormente, las personas que no consumían carne eran conocidos como "pitagóricos", en honor al pensador griego Pitágoras, considerado como el primer vegetariano moderno.

Vegano. Excluye, en la medida de lo posible, toda forma de explotación y crueldad hacia los animales ya sea como alimento, vestimenta o cualquier otro uso. En términos culinarios, el veganismo se refiere a la práctica de eliminar todos los productos de origen animal, incluyendo la carne, el pescado, el marisco, los huevos, la leche, la miel y todos sus derivados.

Los veganos también son conocidos como vegetarianos estrictos. Sus precursores fueron Elsie Shrigley y Donald Watson, vegetarianos que en 1944 fundaron la Vegan Society en el Reino Unido. Según Watson, "el veganismo es una filosofía de vida que excluye todas las formas de explotación y crueldad hacia el reino animal e incluye una reverencia a la vida. En la práctica se aplica siguiendo una dieta vegetariana pura y anima el uso de alternativas para todas las materias derivadas parcial o totalmente de animales".

Ovo-lacto vegetariano. No come carne, pescado o sus productos derivados, pero consume huevos y productos lácteos. Es la forma de vegetarianismo más extendida.

Lacto-vegetariano. Excluye de su dieta la carne, el pescado y sus productos derivados, los huevos y cualquier alimento de origen animal excepto los productos lácteos.

Crudívoro. Sigue una alimentación vegetariana compuesta básicamente de vegetales (frutas y verduras) sin cocinar.

Frugívoro. Sólo consume fruta fresca, fruta desecada y frutos secos.

Macrobiótico. Este grupo centra su dieta en los cereales, las verduras de temporada y los alimentos integrales.

Veganos y vegetarianos famosos

El mundo del cine, la música, el arte… está repleto de personajes que han optado por el vegeteranismo o el veganismo como filosofía y estilo de vida. Ahí van algunos de los más destacados:

- Pamela Anderson, actriz
- Uma Thurman, actriz
- Natalie Portman, actriz
- Alanis Morissette, cantante
- Bill Clinton, expresidente de los Estados Unidos
- Brandon Flowers, vocalista de The Killers
- Steve Jobs, presidente ejecutivo de Apple
- Mark Zuckerberg, creador de Facebook
- Chris Martin, vocalista de Coldplay
- Donna Karan, diseñadora de moda
- Drew Barrymore, actriz
- Fiona Apple, cantante
- Jennifer Connelly, actriz
- Martina Navratilova, tenista
- Moby, músico
- Paul McCartney, músico
- Joaquin Phoenix, actor
- Prince, cantante
- Sinéad O´Connor, cantante
- Stella McCartney, diseñadora
- Sting, músico

Buenas razones para ser vegano

eguir una alimentación vegana sin ingredientes de origen animal es toda una filosofía y un estilo de vida al que se llega por diferentes motivos. Ahí va una breve explicación de los principales argumentos:

Mejorar la salud

Según la Asociación Americana de Dietética, las dietas vegetarianas adecuadamente planificadas, incluidas las dietas totalmente vegetarianas o veganas, son saludables, nutricionalmente adecuadas y pueden proporcionar beneficios para la salud en la prevención y el tratamiento de ciertas enfermedades. Las dietas vegetarianas bien planificadas son apropiadas para todas las etapas del ciclo vital, incluido el embarazo, la lactancia, la infancia, la niñez y la adolescencia, así como para los atletas.

Sin duda alguna, la alimentación vegana es una de las más saludables que existen, capaz de reducir de forma notable la aparición de enfermedades y trastornos de salud. Para empezar, los veganos poseen niveles de colesterol muy inferiores a quienes consumen carne y, en consecuencia, las afecciones cardiovasculares son menos frecuentes. En cuanto a sustituir la proteína animal por proteína vegetal está demostrado que también ayuda a reducir los niveles de colesterol en sangre. Recientes estudios también han demostrado que una dieta rica en carbohidratos complejos (sólo disponibles en alimentos vegetales) y baja en grasas es la mejor prescripción para controlar trastornos como la diabetes. Por otra parte, las grasas vegetales tienden a disminuir la presión arterial, mientras que las grasas animales la aumentan. En general, los veganos tienen menos posibilidades de padecer enfermedades del corazón, así como hipertensión, obesidad, diabetes, cáncer, desórdenes intestinales, piedras en el riñón y en la vesícula, y osteoporosis. Cualquier médico nos aconsejará seguir una alimentación baja en grasas y rica en fibras y vitaminas.

La mismísima Organización Mundial de la Salud (OMS) recomienda reducir el consumo de grasas y aumentar el consumo de frutas, verduras, cereales y legumbres, alimentos básicos de la dieta vegana. Los antioxidantes que contienen la fruta y la verdura son esenciales para proteger nuestro organismo de las agresiones externas. Por otra parte, los hidratos de carbono son una de las fuentes energéticas más importantes de nuestro organismo y la dieta vegana es muy rica en dicho elemento, gracias al rico aporte de las frutas, los cereales, las legumbres y las verduras. Finalmente, cabe destacar que los vegetales son los alimentos más ricos en vitaminas, minerales y fibra.

Facilitar la digestión

Cada vez hay más personas que padecen trastornos digestivos de forma regular, la mayoría de ellos provocados por una alimentación deficiente. Para evitarlo, es muy importante consumir abundante fibra. Ésta favorece la movilidad de los alimentos digeridos por el intestino delgado y grueso, además de ayudar a la absorción de vitaminas y minerales, así como a eliminar toxinas. La dieta vegana es ideal para regular el correcto funcionamiento del aparato digestivo y evitar trastornos asociados como el sobrepeso y la obesidad.

Ahorrar dinero

La lista de la compra de un vegano, con todo tipo de verduras, frutas, cereales y, en general, cualquier ingrediente propio de la alimentación vegana, es más barata que la de una persona omnívora que incluye la carne, el pescado, el marisco y los lácteos en su dieta. No obstante, sigue los siguientes consejos si quieres reducir aún más los gastos:

* **Planifica las comidas.** Dedica 15 minutos a la semana para preparar el menú de los 7 días y elaborar una lista de la compra con todo lo necesario (domingo por la tarde puede ser un buen momento para hacerlo).

* **Confía en los alimentos básicos de tu dieta vegana.** Por lo general suelen ser los más baratos y su versatilidad permite la elaboración de infinidad de platos. Por ejemplo, las legumbres son baratas, duraderas y ofrecen muchas combinaciones según la forma de cocinarlas y los ingredientes que acompañan.

* **Compra frutas y verduras de temporada.** Sea cual sea el momento de la compra, siempre puedes encontrar productos propios de la temporada que son más baratos y sabrosos.

* **Cocina a gran escala.** Una vez a la semana, plantéate preparar grandes cantidades de un solo plato y congélalo para ir usándolo durante varios días. Elige ingredientes que puedas racionar, como judías cocidas, salsas para pasta, fondos de verduras...

Reducir el consumo excesivo de proteínas

Las proteínas son necesarias para nuestro crecimiento y para el mantenimiento de los tejidos. Están compuestas de una serie de aminoácidos esenciales para el correcto desarrollo del ser humano. La mayoría de alimentos contienen proteínas de mayor o menor calidad. Las proteínas con todos los aminoácidos esenciales necesarios para el cuerpo se conocen como proteínas de alta calidad. Unos alimentos tienen mayor cantidad que otros pero la clave está en saber combinarlos para que nuestro organismo reciba suficiente cantidad de aminoácidos esenciales. Los veganos que mantienen una dieta equilibrada basada en cereales, legumbres, semillas, frutos secos y verduras consumen una mezcla de proteínas de primer orden.

El porcentaje ideal en una dieta equilibrada debería rondar el 15 por ciento de proteínas. No obstante, la alimentación actual suele superar en muchos casos el 25 por ciento en detrimento de otros nutrientes importantes como los hidratos de carbono. La dieta vegana permite mantener a raya el consumo excesivo de proteínas que a la larga puede resultar perjudicial para la salud. De hecho, la alta ingestión de proteína puede incrementar las pérdidas de calcio del organismo y acelerar la aparición de enfermedades como la osteoporosis.

Respetar el planeta

Según la Organización de las Naciones Unidas para la Agricultura y la Alimentación (FAO), el sector ganadero genera más gases de efecto invernadero que el sector del transporte. Asimismo, también es una de las principales causas de la degradación del suelo y de los recursos hídricos. La Organización de las Naciones Unidas lo ha dejado claro en uno de sus informes más recientes:

"Se espera que los impactos de la agricultura aumenten sustancialmente debido al crecimiento demográfico, incrementándose el consumo de productos animales. A diferencia de los combustibles fósiles, es difícil buscar alternativas: la gente tiene que comer. Una reducción sustancial de los impactos sólo será posible con un sustancial cambio de dieta en todo el mundo, lejos de los productos de origen animal."

Queda claro que reducir o eliminar por completo el consumo de carne y sus derivados es un gesto que puede contribuir a reducir nuestra huella ecológica en el planeta.

Fuentes veganas ricas en proteínas

- Cereales como la avena, arroz, cebada, trigo sarraceno, o productos derivados como la pasta y el pan.
- Legumbres como los garbanzos, judías, lentejas y soja.
- Frutos secos como las nueces, avellanas, almendras y anacardos.
- Semillas de girasol, calabaza y sésamo.

Evitar el sufrimiento animal

Muchas personas acceden al veganismo por una convicción ética en contra de las técnicas de cría intensiva de animales impuestas en la ganadería actual. Los animales destinados a la alimentación son excluidos de las leyes anti-crueldad y no reciben ninguna protección legal. Siendo veganos podemos contribuir a reducir el impacto de esta situación y evitar la explotación, el sufrimiento y el sacrificio de muchas especies animales destinadas a nuestra alimentación.

El veganismo es un estilo de vida basado en el respeto hacia los animales. Los veganos abogan por aplicar a las especies animales los mismos derechos humanos que defienden el derecho a la vida, la seguridad de la persona y estar libre de la esclavitud y de la tortura. En consecuencia, concluyen que dichas obligaciones y derechos impiden un consumo de productos de origen animal. Y es que la actual explotación que sufren los animales en diferentes ámbitos como la industria alimenticia, la moda, la cosmética, etc. es considerada por el veganismo como una violación de los derechos y un estado comparable a la esclavitud.

Los movimientos en defensa de los derechos de los animales denuncian que a diario millones de especies son compradas, vendidas, privadas de libertad, alejadas de sus familias, inseminadas artificialmente, sacrificadas... en beneficio de los intereses económicos de la industria. Cuando nos alimentamos, cuando nos vestimos, cuando utilizamos productos que han sido testados en animales estamos contribuyendo al sufrimiento y a la tortura de los mismos.

Los movimientos animalistas inciden en la necesidad de que la sociedad sea consciente de que todos los animales que disponen de sistema nervioso (seres humanos, perros, cerdos, vacas, gallinas, atunes, ratones...) tienen la capacidad de sentir (ya sea dolor, placer, miedo...) y que por lo tanto también tienen idénticos intereses que deben ser respetados. Los movimientos en defensa de los animales abogan por erradicar el especismo o la discriminación en función de la especie.

El especismo establece un orden jerárquico a la importancia de los intereses de una determinada especie sobre otra. Por ejemplo, somos especistas cuando le damos prioridad a los intereses de un perro frente a los intereses de una vaca o un cerdo. Esta cultura oculta el hecho de que el ser humano también es un animal y que no tiene derecho a disponer de la vida del resto de sus congéneres no humanos. Es evidente que somos diferentes, lo que rechazan los movimientos animalistas es la dominación con base en esas diferencias. Rechazan ese autoimpuesto "derecho" del ser humano a tratar al resto de especies como meros objetos que están ahí simplemente para satisfacer nuestros propios deseos y servir como medio para conseguir nuestros objetivos. Según el filosofo José Ferrater Mora, "el especismo es respecto a la especie humana entera lo que es el racismo respecto a una raza determinada, ser especista es ser racista humano. El reconocimiento del humano como especie se transforma en especismo cuando equivale a la negación de derechos a otras especies, que no a la humana."

Para evitar esta discriminación (igual de injusta que el sexismo o el racismo), este movimiento promueve el veganismo como única opción válida. El no uso de animales en ningún aspecto de la vida, con una alimentación cien por cien vegetariana (sin derivados lácteos, huevos ni miel), ropa y complementos que no incluyan cuero, lana o seda, así como el no uso de productos que hayan sido testados en animales, la no asistencia a los parques zoológicos o acuarios, así como la no participación en fiestas o espectáculos donde se utilicen a otros animales para diversión o entretenimiento del público.

Algunas víctimas del especismo

- Animales sacrificados por la industria peletera. Este negocio sacrifica a diario una ingente cantidad de especies animales para la fabricación de todo tipo de abrigos y prendas de vestir. Visones, chinchillas, focas adultas y bebé, nutrias, zorros, martas, ardillas... mueren a diario de forma cruel para evitar cualquier desperfecto en la apariencia de su piel.
- Sacrificio y explotación de vacas. El ganado vacuno es sometido a diario al consumo de hormonas de crecimiento, antibióticos y otras sustancias con el fin de sacar el máximo rendimiento a su leche y su carne.
- Explotación y sacrificio de conejos. Transcurridos entre 75 y 90 días desde su nacimiento, los conejos son sacrificados tras haber pasado toda su existencia en cautiverio.
- La fiesta nacional. Las tradicionales corridas de toros convierten en sangriento espectáculo la tortura y muerte de este animal para diversión de unos cuantos.
- Caza y pesca. A diario, millones de animales mueren asfixiados o tras sufrir un disparo. Muchos son devueltos al agua heridos por los anzuelos o las redes, o huyen desangrándose por las heridas de los disparos o los mordiscos de los perros de caza.
- Apicultura. El proceso de cosechar la miel provoca la muerte de multitud de abejas (por aplastamiento o mutilación), así como el injusto abuso que provocamos al hacerlas trabajar de forma incansable para producir un preciado producto alimenticio que luego les será arrebatado y sustituido por una simple mezcla de agua y azúcar.
- Explotación de cerdos. A pesar de ser uno de los animales más inteligentes que existen, superando con creces al perro, el ser humano lo explota y tortura con inusitada crueldad. La actual industria porcina sacrifica millones de cerdos a diario en todo el mundo tras varios meses hacinados en duras condiciones.
- Explotación de corderos y ovejas. La extracción de la leche, la carne, el cuero y la lana, además de otros subproductos de estas especies, hace que su existencia se reduzca a un breve período de vida abocado al sacrificio final.
- Explotación de gallinas. A los 35 días de vida, un pollo ya está listo para ser sacrificado. Una corta existencia que pasará hacinado en granjas de engorde, con el pico semiamputado (sin anestesia) para evitar que ataque a sus congéneres. Por su parte, las gallinas ponedoras pasan sus vidas amontonadas en jaulas de alambre. Allí están aproximadamente un par de años hasta que su producción de huevos desciende y son sacrificadas. En su hábitat natural, una gallina podría alcanzar los 15 o 20 años de vida.
- Experimentación. Cada año mueren en el mundo millones de animales víctimas de la experimentación. Primates, monos, perros, gatos, caballos, bovinos, cerdos, ovejas, cabras, conejos, hurones, chinchillas, marmotas, zarigüeyas, armadillos, cobayas, hámsters y una larga lista de mamíferos son torturados y sacrificados en laboratorios de todo el mundo.

¿Por dónde empiezo?

El primer paso hacia una alimentación vegana es abandonar el consumo de alimentos como la carne, el pescado o los huevos. Al principio esto puede resultar un poco complicado y según nuestra fuerza de voluntad es preferible hacerlo de forma gradual. Muchos veganos empezaron dejando los alimentos de origen animal poco a poco hasta que un buen día descubrieron que llevaban mucho tiempo sin consumirlos y ya se habían acostumbrado. Hacer la transición gradualmente hace que nuestros nuevos hábitos alimenticios se vayan fortaleciendo y se refuerce la convicción de que hemos acertado con el cambio. Independientemente de cómo se decida dar el paso hacia el veganismo, al decidirse es importante tener en cuenta una serie de cuestiones clave:

Los conceptos básicos de nutrición vegana. Tipos de alimentos, contenido de nutrientes, formas de combinarlos... No hace falta ser un erudito del tema pero no está de más consultar algún libro especializado (como el que tienes en las manos), hojear publicaciones de salud que hablen sobre el tema, suscribirse a algún boletín electrónico informativo sobre veganismo...

* Lugares donde comprar productos para veganos.

* Recetas de cocina sencillas para las comidas de diario.

* Restaurantes y lugares de comida vegana.

* Cómo transformar las celebraciones o eventos en torno a una comida. Al principio puede resultar algo complicado. Podemos hacerlo de forma progresiva "vegetalizando" las comidas que sirvamos: aperitivos a

base de vegetales, paellas o hamburguesas veganas, batidos con frutas exóticas...

Otro de los pasos importantes a la hora de hacer la transición hacia una alimentación vegana pasa por aprender a cambiar nuestros hábitos de alimentación cotidiana de forma natural. Una forma sencilla de hacerlo es plantearte las siguientes preguntas:

* ¿Como demasiadas proteínas? La mayoría de la población occidental consume el doble de las proteínas que necesita. Nuestro organismo no está preparado para almacenar tal cantidad y lo sometemos a un esfuerzo extra para su procesado y eliminación. Podemos empezar a reducir el consumo de carnes rojas, embutidos y pescado sustituyéndolo progresivamente por alimentos ricos en proteínas como la soja, las legumbres, el tofu, el tempeh, los cereales y los frutos secos.

* ¿Como demasiadas grasas saturadas? El consumo de ácidos grasos es esencial para nuestro organismo. No obstante, su proporción en la dieta debe rondar el 30 por ciento y tendemos a superar esa media, especialmente con el consumo de grasas saturadas, poco recomendables y que elevan el nivel de colesterol en sangre. Para cambiar ese hábito debemos dar mucho más protagonismo a aquellos alimentos ricos en grasas monoinsaturadas como el aceite de oliva obtenido de primera presión en frío, los frutos secos y las semillas oleaginosas.

* ¿Como poca fruta y verdura? La Organización Mundial de la Salud (OMS) recomienda tomar un mínimo de cinco porciones de fruta y verdura fresca al día. Son una buena fuente de antioxidantes, vitaminas, fibra y minerales que protegen y nutren el organismo. Así que es importante aumentar progresivamente su consumo diario como parte fundamental en nuestra transición hacia una alimentación más saludable.

La pirámide vegana

La pirámide de alimentación vegana se distribuye en los siguientes grupos, según su orden de importancia:

Cereales (6-11 raciones diarias): pasta, arroz, pan, cereales de desayuno, trigo, maíz, avena, centeno, quinoa, espelta, mijo, etc. Ejemplo de 1 ración: 1 rebanada de pan, 30 g de cereales de desayuno, 120 g de cereales cocinados o pasta y 2 cucharadas de germen de trigo.

Verduras y hortalizas (3 o más raciones diarias): zanahorias, espinacas, col, pimientos, apio, tomates, acelgas, patatas, cebollas, guisantes, espárragos, coles, etc. Ejemplo de 1 ración: ½ plato de lechuga o similar, 50 g de vegetales crudos, 80 g de verdura cocida y 1 vaso de zumo vegetal.

Frutas y frutos secos (2 o más raciones diarias): naranjas, manzanas, plátanos, fresas, mangos, aguacates, peras, albaricoques, orejones de albaricoque, ciruelas, higos secos, etc. Ejemplo de 1 ración: 1 manzana, 1 plátano, 120 g de fruta troceada y 1 vaso de zumo de fruta.

Alimentos ricos en calcio (6 a 8 raciones diarias): brócoli, espinacas, leche de soja enriquecida, tofu, higos secos, almendras, sésamo, etc. Ejemplo de 1 ración: ½ vaso de batido de soja enriquecida, 60 g (1 loncha) de tofu enriquecido en calcio, ½ vaso de zumo de naranja enriquecido en calcio, 60 g de almendras, 240 g (un plato) de verduras ricas en calcio (brócoli, col, berza...), 240 g de legumbres ricas en calcio (soja, judía blanca...) y 5 higos.

Legumbres y derivados (2 a 3 raciones diarias): garbanzos, lentejas, soja, tempeh, tofu, etc. Ejemplo de 1 ración: 1 plato de legumbres cocinadas, 120 g de tofu o tempeh, 3 puñados de nueces y 2 vasos de batido de soja.

Otros (1 a 2 raciones diarias): aceite de oliva, leches vegetales, zumos, hamburguesas vegetales, alimentos enriquecidos con vitamina B12 (como ciertas leches vegetales, algunos productos de soja o cereales para desayuno).

Vamos a comer bien

La lista de ingredientes veganos es interminable pero aquí están, ordenados por grupos alimenticios, algunos de los más comunes y con los que podemos elaborar un sinfín de recetas apetitosas, creativas y saludables.

Verduras y hortalizas

Sabrosas, sanas y nutritivas, son uno de los principales componentes de la dieta vegana. Situadas en el segundo nivel fundamental de la pirámide de los alimentos (sólo por debajo de los cereales) aportan gran cantidad de nutrientes, hidratos de carbono de absorción lenta y fibra dietética.

Acelga. Es rica en fibra y minerales como el potasio, el magnesio y el hierro, así como vitamina A y C. Contiene muy pocas calorías (28 por cada 100 g) por lo que resulta ideal en dietas de adelgazamiento. Podemos encontrar acelgas en cualquier época del año, aunque su mejor época se da desde finales de otoño a principios de primavera. A la hora de elegirlas, es mejor optar por aquellas matas que muestren las hojas brillantes y sin manchas marrones en los bordes o las pencas. Es una verdura de vida corta por lo que conviene consumirla en 2 o 3 días desde su recolección. Eso sí, es posible congelarla escaldándola previamente durante un par de minutos en agua hirviendo. Podemos comer sus hojas hervidas o crudas, mientras que las pencas pueden emplearse en sopas, guisos o estofados.

Ajo. Uno de los condimentos aromatizantes más utilizados en la cocina. Es rico en minerales como el calcio, el hierro y el fósforo, así como en vitaminas del grupo B. Aporta 110 calorías por cada 100 g y es un excelente alimento diurético y depurativo. Encontraremos ajos en el mercado durante todo el año, ya sean blancos o morados. La variedad de ajo tierno puede encontrarse a finales de invierno y principios de la primavera. Al comprar ajos secos, es preferible elegir aquellos ejemplares que se mantengan firmes al tacto y no muestren vacíos en su superficie. Para evitar que su sabor repita después de las comidas, es aconsejable abrirlos por la mitad y retirar el brote que contienen en su interior. Otra forma de atenuar su intenso sabor es mantenerlos en remojo durante 1 hora antes de cocinarlos.

Alcachofa. Esta hortaliza oriunda del norte de África tiene un importante aporte de minerales como el hierro y el calcio, así como en vitaminas A, B y C. Tan sólo contiene 38 calorías por cada 100 g y es ideal para incorporar en dietas de adelgazamiento. Está disponible en el mercado entre los meses de octubre a junio y al adquirirla debe presentar un tacto duro, compacto y con las hojas de color verde claro y brillante. Un sencillo truco para acertar consiste en apretar la alcachofa cerca del oído: si escuchamos un crujido, significa que es fresca. A la hora de conservarlas, es mejor guardarlas en el interior de una bolsa de plástico cerrada dentro del frigorífico. Y para evitar que se sequen antes de hora, es mejor no cortar los tallos hasta el momento de cocinarlas. Podemos tomarlas crudas, al vapor, hervidas, fritas, rebozadas, a la brasa, horneadas...

Apio. Rico en minerales como el potasio, el sodio y el fósforo, tiene un importante aporte de fibra y vitaminas A y C. Es una de las verduras con menos calorías (tan sólo 12 por cada 100 g) y está disponible en el mercado durante todo el año. A la hora de elegirlo debemos optar por ejemplares firmes, compactos y de color verde claro, descartando aquellos que muestren manchas o puntos secos. Para conservarlo es mejor guardarlo en el cajón de las verduras del frigorífico envuelto en papel de cocina húmedo. Podemos consumirlo hervido en todo tipo de sopas y guisos, crudo cortado en tiras o rallado como sabroso complemento en todo tipo de ensaladas.

Berenjena. Originaria de la India, está disponible durante todo el año, es rica en calcio, potasio y vitaminas A, B y C. Deben elegirse los ejemplares que muestren la piel compacta y brillante. Un buen truco para acertar consiste en fijarse en la frescura del extremo del tallo, indicativo del tiempo que ha pasado desde su recolección. Podemos consumirla guisada, rellena, al horno, rebozada, frita, a la brasa, hervida, al vapor, en cremas o purés...

Brócoli. Es una verdura perteneciente a la familia de la col, muy rica en fibra y minerales como el azufre, el hierro y el calcio. De hecho, está considerada como una de las hortalizas con mayor aporte de nutrientes. Su mejor época va desde los meses de octubre a abril y antes de comprarla conviene fijarse en aquellos ejemplares que muestren la superficie firme y de color verde oscuro. La mejor forma de aprovechar sus cualidades es prepararlo al vapor o hervido durante apenas 3 minutos.

Calabacín. Rico en fibra y minerales (potasio y calcio), su mejor época es durante los meses de más calor aunque está disponible durante todo el año. Al elegirlos es mejor desechar los ejemplares más grandes ya que contienen mayor número de semillas en su interior y su carne es menos tierna. Podemos consumirlo tanto crudo como cocido y admite multitud de preparaciones culinarias.

Calabaza. Rica en calcio, hierro y cinc, así como en vitaminas A, B y C. Sólo contiene 12 calorías por cada 100 g. Podemos optar por dos variedades: la calabaza de verano (de piel clara y fina) y la calabaza de invierno (algo más dulce pero con menor cantidad de agua). De la calabaza confitera (ejemplar típico de invierno) se obtiene el popular cabello de ángel, muy utilizado en recetas dulces.

Cebolla. Disponible en el mercado durante todo el año, aunque su mejor época transcurre en los meses de primavera. Es rica en minerales como el potasio, el fósforo, el magnesio y el calcio. Se puede consumir tanto cruda como cocinada en todo tipo de recetas. Resulta un ingrediente ideal en la elaboración de ensaladas, siendo recomendables las variedades más dulces. Para evitar el molesto lagrimeo mientras cortamos esta hortaliza, una vez pelada debemos mantenerla brevemente bajo el chorro de agua fría. El picor que provoca en los ojos se debe a un aceite volátil que libera y que es muy rico en compuestos azufrados.

Col. Disponible en multitud de variedades, entre las más comunes destacan el repollo de hoja rizada o lisa, la col lombarda, la berza (típica de Asturias y Galicia), las coles de Bruselas o la col china. Todas ellas están disponibles en el mercado durante todo el año.

Espárrago. Originario de la cuenca mediterránea, existen 2 variedades principales: el espárrago blanco y el verde. El primero crece bajo tierra y por eso no desarrolla la clorofila hecho que le da su característica ausencia de color. El espárrago verde o triguero es muy apreciado por su intenso sabor. Aunque ambos están disponibles durante todo el año gracias a los cultivos de invernadero, su mejor época transcurre entre los meses de abril y mayo. A la hora de elegirlos debemos fijarnos en aquellos ejemplares que muestren sus puntas bien cerradas y compactas, así como el tallo recto y firme.

Espinaca. Esta verdura original de Asia Menor es rica en hierro así como en vitamina A, B y C. Está disponible durante todo el año en sus distintas variedades según el aspecto y tamaño de sus hojas (lisa, rizada, grande o pequeña). Al comprarla es mejor elegir aquellos ejemplares que muestren las hojas de un color verde brillante y uniforme. Podemos conservarla en el frigorífico durante al menos un par de semanas. No obstante, es recomendable guardarla en una bolsa de plástico perforada para que las hojas se mantengan frescas durante más tiempo.

Pepino. Aunque podemos encontrarlo en el mercado durante todo el año, la mejor época para saborearlo es entre los meses de primavera y otoño. Contiene muy pocas calorías (tan sólo 12 por cada 100 g) y es rico en nutrientes como el hierro, el potasio y la vitamina C.

Pimiento. Podemos distinguir 2 grandes variedades de pimientos frescos: los dulces y los picantes. Dentro del primer grupo están los pimientos verdes o rojos, cuya mejor época se centra en verano y principios de otoño, aunque están disponibles durante todo el año. En cuanto a los pimientos picantes, destacan los llamados del pico y los piquillos.

Puerro. Rico en fibra y minerales como el hierro y el calcio, tiene un considerable aporte de vitaminas A y C. Está disponible durante todo el año y a la hora de elegirlos debemos optar por aquellos ejemplares pequeños, con la parte blanca firme y las hojas verdes y brillantes.

Rábano. Disponible durante todo el año aunque los ejemplares más sabrosos son los de primavera (su época natural). Aporta nutrientes como el fósforo, el calcio y el hierro, así como vitaminas B y C.

Remolacha. Se encuentra en el mercado durante todo el año, es rica en azúcar, fibra y nutrientes como el potasio, el sodio y el calcio.

Tomate. Es una excelente fuente de fibra, así como de potasio, fósforo, vitamina C y E. Existen casi 100 variedades de tomates que podemos clasificar según su tamaño, forma o uso. En general, se distinguen un par de grandes categorías:

Tomates para ensalada. En este grupo se encuentran las variedades dan-ronc (muy lleno y carnoso), montserrat (de forma lobulada y bastante vacío pero sabroso) y cherry (pequeño y de intenso color rojo).

Tomates para cocinar. Destacan las variedades daniela (esférico y jugoso) y pera (ideal para conservas y elaboración de salsas).

Zanahoria. Hortaliza muy rica en vitamina A, así como en calcio, potasio y fósforo. Está disponible durante todo el año, aunque los ejemplares finos y pequeños de primavera son los más sabrosos.

Legumbres

Fuente básica de proteínas e hidratos de carbono, su consumo frecuente consigue efectos beneficiosos para la salud y ayuda a la prevención de enfermedades. Su contenido proteico puede superar al de la carne, especialmente cuando se trata de legumbres secas.

Alubia. Recibe distintos nombres según su país de origen (judía seca, habichuela, frijol...). Es una legumbre muy rica en fibra, potasio y hierro, aunque su principal componente son los hidratos de carbono. También aporta una cantidad importante de proteína vegetal. Su capacidad de absorber el sabor de los ingredientes que la acompañan resulta ideal para la elaboración de todo tipo de guisos y potajes. Eso sí, antes de cocerlas conviene rehidratarlas previamente sumergiéndolas en agua fría durante aproximadamente 12 horas. Según la variedad, el tiempo de cocción oscilará entre 1 y 3 horas (en olla a presión este tiempo se reduce). También podemos optar por las alubias precocinadas y deshidratadas para cuyo consumo bastarán 30 minutos de cocción. Entre las distintas variedades de esta legumbre seca destacan la judía blanca, la judía pinta, la judía del ganxet y la judía moteada o careta.

Guisante. Originario de Oriente Medio y Asia Central, la mejor temporada para consumirlo fresco es entre los meses de marzo y mayo. Si es seco puede encontrarse durante todo el año. Es rico en vitaminas del grupo B así como en calcio, hierro y potasio. Aporta 78 calorías por cada 100 g.

Haba. Las habas frescas son ricas en nutrientes como las vitaminas B y C, calcio y fósforo. Están disponibles en el mercado desde finales de invierno a principios de primavera.

Soja. Originaria de la China, es una de las legumbres más ricas en proteínas de buena calidad, superando incluso el aporte proteico de las carnes. También es rica en fibra, hidratos de carbono y grasas, que en su mayor parte son poliinsaturadas. Tiene un elevado aporte en minerales como el calcio, hierro, magnesio, potasio y fósforo, así como de vitamina B y E. Entre las variedades más comunes de esta legumbre destaca la soja roja o judía azuki, la soja verde o judía mungo y la soja amarilla (la más utilizada en cocina). La soja es un alimento muy polivalente del que se obtiene una gran variedad de productos: harina, aceite, lecitina, bebida de soja, tofu, tamari, tempeh...

Garbanzo. Legumbre muy rica en hidratos de carbono y cuyo aporte de proteínas es más elevado que en el resto de sus compañeras. Asimismo, es rica en fibra, calcio, fósforo, hierro, potasio y magnesio. A diferencia del resto de legumbres, a la hora de cocer garbanzos secos debemos partir de agua templada y no fría para evitar su endurecimiento. También podemos adquirirlos cocidos, tostados, en remojo o envasados. Una vez cocinados, se mantienen en buenas condiciones durante unos días guardados en un recipiente hermético en la nevera.

Lenteja. Originaria del suroeste asiático, es una legumbre rica en hidratos de carbono, hierro y vitamina B, aunque su aporte en fibra es inferior al resto de legumbres. Su bajo contenido en grasas es recomendable para regular los niveles de colesterol en sangre. No es necesario rehidratar las lentejas antes de su cocción y simplemente basta con cubrirlas de agua fría unos minutos antes para evitar que la piel se seque y se desprenda. Podemos adquirir lentejas secas envasadas o a granel. En cualquier caso debemos comprobar que están enteras y que desprenden un olor fresco, con un ligero aroma a nueces. Entre las variedades más comunes destacan la lenteja pardina o francesa (de tamaño pequeño y color marrón), la lenteja rubia castellana, la lenteja coral (de color salmón) y la lenteja dupui (muy sabrosa).

Especias

Originarias en su mayoría del continente asiático, su uso aporta aroma y sabor a todo tipo de elaboraciones culinarias.

Azafrán. Se utiliza para dar aroma y color a varias elaboraciones culinarias como paellas, salsas, guisos y estofados.

Canela. Está disponible en rama, polvo o extracto. Es muy común en la elaboración de todo tipo de postres.

Cardamomo. Especia originaria de la India de sabor intenso y cítrico.

Clavo. Se trata de una de las especias más aromáticas que existe. Se utiliza entero o molido y siempre en pequeñas cantidades, pues su aroma y sabor son muy intensos.

Jengibre. Su sabor cítrico aporta interesantes contrastes en diferentes elaboraciones culinarias.

Nuez moscada. De sabor ligeramente cítrico y muy aromática, picante y dulce, suele utilizarse rallada justo en el momento de usarla aunque también está disponible en formato de polvo.

Pimentón. Especia en polvo que se obtiene de la molienda de determinados pimientos rojos y secos. Puede ser dulce o picante.

Pimienta. Originaria de la India, existe una gran variedad de pimientas aunque las más comunes son la pimienta negra, la pimienta blanca y la pimienta verde.

Vainilla. Uno de los aromatizantes más intensos de la gastronomía. Está disponible en polvo o gotas y suele utilizarse en la elaboración de todo tipo de postres.

Frutas

Sabrosas, saludables y ricas en nutrientes, las frutas se localizan en el segundo nivel de la pirámide de alimentos y son el complemento ideal en la alimentación vegana. Aportan pocas calorías y tienen un elevado porcentaje de agua (entre 80 y 95 por ciento), hidratos de carbono, azúcares y sustancias de acción antioxidante (vitamina C, vitamina E, betacaroteno, licopeno, luteína, flavonoides, antocianinas...).

Aguacate. Originario de México, Colombia y Venezuela, es muy rico en grasas y bastante calórico (135 calorías por cada 100 g). Entre las variedades más comunes destacan la bacon (que se puede comprar a partir de octubre), la fuerte (disponible durante todo el año) y la pinkerton (entre los meses de febrero y marzo).

Albaricoque. Fruta de carne jugosa, firme y delicioso sabor dulzón. Su mejor época se da entre los meses de mayo y septiembre. Destaca por su elevado contenido en fibra y provitamina A, de acción antioxidante. Debe comprarse bien maduro para disfrutar de su aroma y dulzor.

Arándano. Fruta originaria de Asia y Europa que nace de forma silvestre en los márgenes de caminos y torrenteras. Madura durante los meses de verano y otoño aunque puede encontrarse durante todo el año gracias a los cultivos de invernadero. Las variedades más comunes son el arándano negro o americano y el arándano rojo o agrio.

Cereza. Fruta de verano que podemos disfrutar desde finales de abril hasta mediados de agosto. Su color puede oscilar entre el amarillo rojizo y el rojo intenso, casi negro. A la hora de comprarlas, se recomienda optar por los ejemplares más carnosos, de piel firme, brillante y sin roturas. En general, las cerezas de tamaño más grande son las más sabrosas.
La cereza destaca por su elevado contenido en hidratos de carbono, sobre todo fructosa, aunque su valor calórico es inferior al de las otras frutas. También aporta una cantidad significativa de fibra.

Ciruela. Según su color podemos distinguir entre la variedad amarilla (de sabor ácido y jugosas), roja (más dulce que la amarilla), negra (la más adecuada para cocer) y verde (conocida también como ciruela claudia, muy apreciada por su dulce sabor). Todas ellas van apareciendo en el mercado durante los meses de calor.

Coco. Al adquirirlo conviene elegir aquellos ejemplares que tengan abundante agua en su interior. Para comprobarlo bastará agitarlo y escuchar el chapoteo del agua. Una vez abierto debe consumirse en el mismo día o conservar los pedazos en un recipiente lleno de agua durante un máximo de cuatro días. Es una fruta calórica cuyo aporte alcanza las 351 calorías por cada 100 g.

Fresa y fresón. Frutas bajas en calorías y ricas en hidratos de carbono, fibra y vitamina C. Pertenecen al grupo de las llamadas frutas rojas entre las que también destacan la endrina, la mora, la grosella o el arándano.

Higo. Originario de la cuenca mediterránea, existen distintas variedades según el color de su piel (blanco, azulado, rojo oscuro...). Es rico en hidratos de carbono y fibra, así como potasio, calcio y magnesio. A la hora de comprarlo debe mostrar una buena consistencia, textura suave y ceder ligeramente a la presión de los dedos (señal de que está bien maduro). Se trata de una fruta muy delicada y a lo sumo podemos conservarla tres días en el frigorífico.

Kiwi. Originario de algunas regiones del Himalaya, su mejor época empieza en octubre y se mantiene hasta mayo, aunque la variedad procedente de Nueva Zelanda puede consumirse desde finales de mayo hasta principios de noviembre. Destaca su elevado contenido de vitamina C que llega a doblar al de la naranja. A la hora de comprarlos hay que optar por ejemplares intactos y sin manchas.

Lima. Este refrescante cítrico está disponible durante todo el año y es una de las frutas con menor aporte calórico (sólo 6 calorías por cada 100 g). Rica

en potasio y vitamina C, en función de la variedad puede ser de sabor más o menos ácido. Deben elegirse ejemplares que muestren una piel brillante y un color verde intenso.

Limón. Al igual que la lima, este cítrico es muy rico en vitamina C (45 mg por cada 100 g) y potasio. Disponible durante todo el año, siempre deben comprarse los ejemplares que muestren una piel brillante, lisa y con los poros pequeños.

Mandarina. Originaria de China, contiene vitamina A y C, así como calcio y magnesio. Las variedades más comunes son la clementina (de carne dulce y zumo muy aromático) y la clemenvilla (de piel lisa y fina, tanto que a veces resulta difícil de pelar). Podemos encontrarlas en el mercado entre los meses de septiembre y marzo. Al igual que todos los cítricos, debemos elegir los ejemplares más pesados, señal de que son jugosos y contienen abundante zumo.

Mango. Originario de la India, esta sabrosa y aromática fruta está en los mercados durante todo el año. Existen diversas variedades que se distinguen según el color de su piel: verde, naranja, roja, amarilla, rosa e incluso violácea. Es una fruta bastante calórica (60 calorías por cada 100 g) y muy rica en vitamina A y C, así como en potasio y magnesio.

Manzana. Excelente fuente de vitamina C y fibra, aporta además calcio, fósforo, potasio y hierro. Entre las variedades más comunes destacan la granny smith (de color verde y sabor ligeramente ácido), la golden (de color amarillo verdoso y pulpa crujiente), la reineta (de color amarillo y sabor dulce) o la fuji (de color rojo-amarillo, muy aromática y jugosa). La mayoría podemos encontrarlas desde septiembre hasta junio, aunque algunas están disponibles durante todo el año, como la variedad golden.

Melocotón. Fruta de origen chino que aparece en los mercados a finales de mayo, muy rica en azúcares y sales minerales como el potasio. Hay que elegir ejemplares con la piel lisa y sin manchas o golpes en la superficie ya que tienden a pudrirse con facilidad. Entre algunas variedades destacan la nectarina (parecida al melocotón pero con la piel lisa, fina y brillante) y el paraguayo (de forma achatada y pulpa muy aromática).

Melón. Su aspecto exterior puede ser de color verde, amarillo o anaranjado, según la variedad (amarillo, cantaloup, galia...). Es una fruta de verano y su mejor época transcurre durante los meses de más calor. Es rico en fibra, potasio y vitaminas A, B y C. A la hora de comprarlo debemos comprobar su punto de madurez presionando el extremo opuesto al tallo, que debe mostrarse blando al tacto.

Naranja. Hay dos grandes grupos de naranjas: las dulces y las amargas. El primero es el más utilizado en gastronomía y cuenta con las variedades navel, blanca y sangre. Podemos disfrutar de este cítrico durante todos los meses del año. En su composición nutritiva destaca su elevado contenido en vitamina C, ácido fólico y minerales como el potasio, el calcio y el magnesio. Gran parte del aroma de esta fruta se concentra en su piel, por lo que su ralladura suele utilizarse en multitud de recetas, especialmente en la elaboración de postres.

Níspero. Esta fruta aparece en el mercado a partir de abril y su temporada termina en junio. Tiene un elevado contenido en azúcares y es rico en fibra y minerales como el calcio y el magnesio.

Pera. Originaria de Europa oriental y Asia occidental, las variedades más comunes en los mercados son la conference (dulce y con manchas en la piel), la limonera (de pulpa granulosa) y la blanquilla (de piel lisa y verde). Todas ellas destacan por su elevado contenido en azúcares, fibra y minerales como el potasio.

Piña. Fruta originaria de Sudamérica, concretamente de Brasil. Es rica en vitaminas A, B y C, así como en fibra, potasio y calcio. Está disponible en el mercado durante todos los meses del año y antes de comprarla debemos comprobar que la cáscara del fruto no se hunde bajo la presión del dedo. Una vez cortada debe consumirse lo antes posible ya que tiende a estropearse con rapidez.

Plátano. Originario del Asia meridional, esta fruta de sabor dulce y perfumado es muy rica en hidratos de carbono, potasio y magnesio. Está disponible durante todo el año y al adquirirlo debemos fijarnos en que no tenga golpes o magulladuras, ya que tiende a estropearse con facilidad. Para evitar que su piel ennegrezca es mejor no conservarlo en el frigorífico.

Pomelo. La mejor época de este cítrico pariente de la naranja, la mandarina y el limón se da entre los meses de octubre y marzo. Es rico en vitamina C y minerales como el potasio, el fósforo y el magnesio. Las variedades más comunes son el pomelo amarillo (de sabor agrio-amargo) y el pomelo rosa (más dulce).

Sandía. Originaria de países de África tropical, hay más de 50 variedades según su forma, peso, color... Aporta vitaminas A y C, potasio, magnesio y fibra. Aparece en el mercado a partir de mayo, aunque su mejor época se da entre julio y septiembre. Su gruesa cáscara permite conservarla a temperatura ambiente sin miedo a que se estropee. Así es mucho mejor, ya que el frío excesivo del frigorífico puede estropearla.

Uva. Fruta carnosa rica en azúcares y de elevado contenido calórico. Disponible en los mercados a partir de junio, antes de comprarla conviene agitar el racimo y comprobar que los granos permanecen en su sitio. Una vez en casa, las uvas se conservan en buen estado durante bastante tiempo y en el frigorífico pueden durar hasta 15 días. Eso sí, para disfrutar de todo su sabor es mejor retirarlas del frío una hora antes de consumirlas.

Frutos secos

Energéticos, sabrosos y muy nutritivos, son uno de los complementos básicos en la dieta vegana. Su elevado contenido en minerales, proteínas de buena calidad y grasas sobrepasa a la mayoría de vegetales y su valor alimenticio es de primer orden. Además, combinan con infinidad de preparaciones culinarias, desde ensaladas, sopas, cremas, guisos, salsas o postres.

Almendra. Es uno de los frutos secos con mayor aporte de fibra así como de grasas insaturadas (beneficiosas para la salud cardiovascular). Puede consumirse cruda, tostada o frita. La bebida de almendra también resulta un complemento muy nutritivo para nuestra alimentación.

Anacardo. Originario de la cuenca del Amazonas, este sabroso fruto seco es rico en ácidos grasos y minerales como el selenio (de gran efecto antioxidante) y el magnesio.

Avellana. Uno de los frutos más energéticos que hay por su elevado contenido en calorías (566 por cada 100 g), es rico en ácidos grasos y minerales como el hierro, el calcio y el potasio. También sobresale por su contenido en vitamina E, nutriente que previene la aparición de enfermedades degenerativas.

Cacahuete. Uno de los frutos secos más ricos en proteínas, ácido fólico y vitamina E.

Castaña. Si queremos mantener la línea, este fruto seco es ideal porque es el que menor aporte calórico tiene (165 por cada 100 g). Eso sí, tiene un elevado contenido en hidratos de carbono complejos, a tener en cuenta en caso de personas diabéticas.

Dátil. Una de las frutas desecadas con mayor aporte calórico (227 calorías por 100 g), rica en azúcares, potasio, hierro y magnesio.

Higo seco. Excelente fuente de potasio, calcio y hierro. Se presenta aplastado y puede ser de color gris-violeta o pardo, con la pulpa amarillenta y viscosa.

Nuez. De gran aporte calórico y nutritivo, este fruto seco está muy recomendado en aquellas personas que someten a su organismo a un esfuerzo suplementario (deportistas, estudiantes, personas convalecientes...).

Piñón. Rico en proteínas de buena calidad y fibra, este fruto seco puede comerse crudo o tostado. Es muy recomendable en personas con estados carenciales.

Pistacho. Uno de los frutos más energéticos con un aporte de 630 calorías por cada 100 g y rico en vitamina A y ácido fólico.

Uva pasa. Fruto seco de alto valor nutritivo. Entre las variedades más comunes destaca la uva pasa de Corinto (procedente de uva negra) y la sultana (elaborada a partir de uva blanca).

Germinados

Por su riqueza en vitaminas y minerales, los germinados son un excelente concentrado de nutrientes. Estimulan los procesos digestivos, aportan gran cantidad de antioxidantes (vitamina C, betacarotenos...), apenas contienen calorías y son baratos. Pueden añadirse a ensaladas, salsas, salteados...

Alfalfa. Posiblemente uno de los alimentos más completos y nutritivos que existen. Rico en proteínas, carbohidratos, grasas poliinsaturadas y fibra, así como en vitamina A, C, E y minerales como el potasio, el magnesio, el calcio y el hierro.

Azuki. Los germinados de esta nutritiva judía contienen todos los aminoácidos esenciales, hierro y vitamina C.

Brécol. Germinado rico en vitaminas A, B, C, E y sales minerales como potasio, calcio, yodo, magnesio y azufre. Muy indicado durante la etapa menopáusica, ya que actúa como fitoestrógeno, a la vez que aporta calcio.

Lenteja. Germinado rico en carbohidratos, proteínas, fibra, hierro, calcio, fósforo, potasio y vitaminas A, B, C y E. Ayuda a regular el nivel de azúcar en sangre y reduce el colesterol.

Puerro. Sus germinados son ricos en vitaminas A, B, C, E y en minerales como calcio, fósforo, hierro, azufre y magnesio. Reducen el colesterol y mejoran el sistema inmunológico.

Rábano. Muy ricos en vitaminas A y B, así como en hierro, potasio, calcio, magnesio, sodio y fósforo.

Soja. Refrescantes, tiernos y sabrosos, los germinados de soja tienen un gran aporte de proteínas y vitaminas.

Hierbas aromáticas

Económicas y fáciles de plantar en casa, las hierbas aromáticas aportan toda una gama de sabores y aromas a nuestras recetas veganas. Forman parte de la cultura gastronómica popular y son el condimento ideal en ensaladas, sopas, salsas, guisos...

Albahaca. Sus hojas, tanto frescas como secas, pueden añadirse a todo tipo de platos a base de pasta, verduras, legumbres... Se puede guardar seca durante meses en un frasco de vidrio bien cerrado, o fresca durante unos cuantos días en el frigorífico.

Cilantro. Conocido también como coriandro, es muy parecido al perejil pero su sabor es mucho más fuerte. En la cocina también podemos utilizar sus semillas trituradas para aromatizar nuestros platos.

Eneldo. De sabor parecido al del hinojo y el anís, es preferible usarlo fresco ya que al secarse pierde gran parte de su aroma. Eso sí, cuidado con la cantidad que ponemos porque puede enmascarar bastante el sabor del resto de ingredientes.

Estragón. Sus hojas (frescas o secas) de sabor dulce y amargo se utilizan para elaborar todo tipo de salsas, ensaladas, adobos...

Hinojo. De esta hierba aromática podemos utilizar el bulbo (picado en ensaladas, sopas...) y las hojas (como aromatizante de guisos) aprovechando su característico olor anisado.

Laurel. Las hojas frescas o secas de este arbusto sirven para dar sabor y aroma a todo tipo de sopas, salsas, guisos...

Menta. El intenso olor a clorofila de sus hojas resulta ideal para aromatizar gran variedad de recetas.

Orégano. De sabor ligeramente amargo, el típico condimento de la cocina italiana aporta aroma y sabor a muchos platos.

Perejil. Una de las hierbas aromáticas más populares, se utiliza mucho como aderezo en todo tipo de platos. Hay que recordar que el tallo de esta planta aporta mucho más sabor y aroma que las hojas.

Perifollo. De sabor dulce y sutil, se utiliza mucho como condimento en la cocina francesa y sirve para aromatizar sopas, salsas, ensaladas...

Romero. Es mejor utilizarlo seco ya que fresco aporta cierto amargor. Es un condimento ideal en la elaboración de arroces.

Salvia. Otra de las hierbas aromáticas preferidas de la cocina italiana. Al contrario del romero, es preferible utilizar sus hojas frescas para aprovechar la intensidad de su aroma y sabor.

Tomillo. Sus hojas aportan un sabor intenso y ligeramente acre a sopas, estofados, salsas...

Cereales

En granos, copos, harinas, sémolas o pasta, los cereales ocupan la base de la pirámide nutricional vegana. Aportan gran cantidad de carbohidratos tanto de absorción rápida (después de ingerirlos pasan rápidamente a la sangre) como de absorción lenta (en forma de fibra). Combinados con las legumbres aportan proteínas de alto valor biológico y en ese sentido son excelentes sustitutos de la carne. También son ricos en minerales como el calcio, fósforo, hierro y potasio. Contienen todas las vitaminas del complejo B, además de vitamina E.

Alforfón o trigo sarraceno. Es uno de los cereales más energéticos y nutritivos. No contiene gluten y podemos tomarlo en forma de grano, copos o harina.

Arroz. Rico en carbohidratos y proteínas, no contiene gluten y podemos tomarlo en infinidad de variedades (blanco de grano corto, integral, vaporizado, redondo, glutinoso, aromático...).

Avena. Suele consumirse en forma de copos o como bebida. Es uno de los cereales más ricos en proteínas, grasas y carbohidratos. También es muy calórico (contiene 335 calorías por cada 100 g).

Cebada. Podemos tomarla en granos, copos o bebida. Su elevado contenido en un tipo de fibra soluble (betaglucano) es un excelente aliado contra el colesterol LDL (colesterol malo).

Centeno. Rico en fibra, hierro y vitaminas del grupo E, se utiliza mucho en la elaboración de panes.

Maíz. Rico en carbohidratos, vitamina B y fibra. Carece de gluten y podemos tomarlo fresco en granos y mazorcas, o seco en harinas, sémola...

Mijo. Rico en vitamina A, hierro y fósforo, está disponible en granos o en copos.

Quinoa. De sabor parecido al del arroz integral, es un cereal rico en carbohidratos y fibra. No contiene gluten y es muy rico en proteínas de alta calidad.

Trigo. Aporta hasta un 10 por ciento de proteínas y es rico en minerales como el selenio, magnesio, hierro y cobre, así como en vitaminas del grupo B. Con su grano se elaboran otros derivados como el cuscús, el bulgur o el seitán (proteína del trigo).

Aliños y condimentos salados

Aportan el toque final de sabor y aroma a multitud de recetas. Fundamentales en la despensa, condimentan y enriquecen todo tipo de platos.

Aceite. Dentro de los aceites vegetales, el de oliva es el más recomendable por sus propiedades saludables. Es rico en grasas insaturadas y contiene vitaminas A y E. Otros aceites de origen vegetal saludables son el de girasol, soja, sésamo, maíz o soja.

Alcaparras. Ricas en grasa insaturada y de bajo contenido calórico son un condimento muy saludable en todo tipo de recetas saladas.

Algas. Wakame, dulce, kombu, nori, agar agar... Hay infinidad de algas deliciosas y saludables que podemos utilizar para acompañar platos a base de cereales, verduras, ensaladas, sopas o legumbres.

Ciruela umeboshi. Esta ciruela fermentada, muy utilizada en las cocinas de China y Japón, contiene dos veces más proteínas y minerales que otras frutas. Podemos encontrarla entera, en tarros de vidrio o a granel en tiendas de alimentación natural. Se toma sola o troceada en sopas, ensaladas...

Gomasio. Este nutritivo condimento se elabora a partir de semillas de sésamo y sal marina. Es rico en minerales, ácidos grasos insaturados cardiosaludables, lecitina, vitaminas y proteínas. Podemos prepararlo fácilmente en casa agregando 1 cucharada de sal por cada 10-15 cucharadas de semillas de sésamo, previamente tostadas en una sartén.

Miso. Es un fermento de consistencia pastosa y muy aromatizante elaborado con soja y sal marina. Se utiliza como condimento en ensaladas, arroces...

Sal. Disponible en diferentes formas, texturas y sabores, la sal es un rico aporte de minerales. Es importante controlar su consumo, especialmente aquellas personas que padecen hipertensión o patologías cardiovasculares.

Salsa de soja. Muy utilizada en las cocinas china y japonesa, se extrae a partir de la fermentación láctica de las semillas de dicha planta. Se trata de un condimento salado pero que aporta a su vez un toque dulzón a los platos.

Vinagre. Uno de los condimentos más utilizados en la cocina, proporciona a nuestras recetas un plus de sabor y aroma muy característicos. Podemos optar por múltiples variedades: blanco, de vino, de sidra, de arroz...

Wasabi. Crema de rábanos de origen japonés, muy sabrosa y picante.

Aliños y condimentos dulces

Azúcar. Es preferible optar por el azúcar integral o el azúcar moreno, ambos de caña. El primero tiene menos calorías que el azúcar blanco, es rico en vitaminas y minerales. Por su parte, el azúcar moreno de caña conserva todas sus propiedades nutricionales ya que no ha sido refinado.

Bebidas vegetales. De arroz, soja, avena, almendra... Carecen de lactosa y contienen gran variedad de nutrientes (proteínas, carbohidratos, minerales y vitaminas). A este tipo de bebidas se les puede dar las mismas aplicaciones culinarias que a la leche de vaca. Así pues, podemos usarlas en la elaboración de todo tipo de postres, salsas, cremas, sopas, batidos... Una vez abiertas, precisan refrigeración y deben consumirse en 3 o 4 días como máximo.

Sirope de agave. Saludable alternativa al azúcar, se trata de un jugo vegetal extraído de una especie de cactus originaria de América tropical y Caribe. Este sirope tiene doble poder edulcorante que el azúcar gracias a su alto contenido en fructosa.

Sirope de arce. Elaborado a partir de la savia del arce, árbol originario de Canadá y norte de los Estados Unidos. Tiene un gran poder edulcorante, es muy rico en minerales (potasio y magnesio, especialmente) y vitamina E.

Otros

Germen de trigo. Su extraordinaria concentración de vitamina E le aporta un potencial antioxidante ideal en situaciones de fuerte desgaste físico, personas convalecientes... Podemos adquirirlo en copos o granulado y es un buen complemento para acompañar los cereales.

Levadura de cerveza. Este alimento energético de primer orden tiene un elevado contenido en proteínas y es un complemento valioso en la alimentación vegana. Es muy recomendable en los adolescentes por su aporte en minerales como el cinc.

Seitán. Elaborado a partir del gluten del trigo, es muy rico en proteínas por lo que resulta un complemento alimenticio básico en la dieta vegana. Su aporte calórico es muy bajo y suele presentarse en forma de bola de color marrón oscuro con una textura firme pero muy moldeable. Podemos cocinarlo igual que la carne: a la plancha, rebozado, asado, estofado, como relleno...

Tofu. La cuajada de la leche de soja es un excelente sustituto de la carne por su elevado contenido en proteínas. Se presta a distintas elaboraciones como las hamburguesas de tofu, o como acompañamiento de ensaladas, verduras...

Tempeh. Procede de la fermentación de los granos de la soja y sirve como acompañamiento de ensaladas o como ingrediente en todo tipo de sopas, cremas, estofados, pastas...

Ingredientes de origen animal

Las personas que siguen una dieta estrictamente vegana saben lo complicado que resulta evitar aquellos ingredientes de origen animal presentes en infinidad de alimentos. La legislación obliga a la industria alimentaria a especificar los componentes de sus productos en el etiquetado. Aditivos, colorantes, conservantes... la terminología utilizada es compleja y la mayoría de palabras nos suenan a chino. Pues bien, ahí va un breve glosario que nos ayudará a detectar los ingredientes de origen animal más comunes y utilizados en la industria de alimentos procesados:

- **Ácido carmínico (E120).** Pigmento que se obtiene de la cochinilla y que se utiliza como colorante de alimentos y bebidas.
- **Aceite oleico.** Líquido obtenido al prensar grasa animal. Se utiliza en la elaboración de margarinas.
- **Ácido láctico (E270).** Ácido producido por la fermentación del azúcar de la leche. Presente en productos de confitería, bebidas gaseosas y salsas.
- **Albúmina.** Sustancia presente en la clara de huevo que se usa como aglutinante alimentario.
- **Cola de pescado.** Gelatina obtenida de las branquias de ciertos pescados que se utiliza para el clarificado de bebidas gaseosas, jaleas, etc.
- **Gelatina.** Se extrae de diversos tejidos de origen animal para utilizarla en confitería, galletas, pastas gelatinosas...
- **Glicerina.** Líquido transparente e incoloro que puede ser derivado de grasas animales. Se utiliza como humectante y para mejorar la textura y el sabor de algunos alimentos procesados.
- **Hexafosfato de calcio mesoinositol.** Presente en productos horneados, bebidas gaseosas y verduras procesadas.
- **Inosinato sódico.** Se utiliza para mejorar el sabor de ciertos alimentos.
- **Lactosa.** Agente saborizante utilizado como edulcorante.
- **Lecitina.** Sustancia grasa de origen animal que se usa como emulsionante en productos horneados y confitería.
- **Suero.** Derivado de la leche que se obtiene tras retirar la caseína y la mayor parte de grasa. Presente en margarinas, galletas, snacks...

Una cocina bien equipada

La cocina vegana es sencilla de preparar pero requiere de ciertos utensilios para que el trabajo resulte más cómodo y nos cunda mucho más. Hay que valorar especialmente el uso de cuchillos específicos ya que en muchas recetas tendremos que pelar, cortar, picar, triturar o rallar todo tipo de verduras, hortalizas, frutas... Es una de las funciones que más repetiremos en la cocina, así que no está de más invertir en cuchillos, ralladores y tijeras de buena calidad.

Báscula. Muchas de las cantidades especificadas en las recetas de este libro requieren de una báscula que permita ajustarnos al peso indicado en el texto. En la elaboración de postres es especialmente importante adecuarse con exactitud a las medidas indicadas.

Batidor de varillas. Este práctico utensilio puede ser manual o eléctrico, es ideal para batir claras o yemas de huevo a punto de nieve, montar nata, emulsionar cremas...

Centrifugadora. Utensilio para obtener ensaladas con las hojas crujientes y completamente secas. También se utiliza para secar rápidamente las verduras de hoja. Podemos elegir entre diversos modelos, diseños y mecanismos de uso (con manivela, eléctrica...). Su uso garantiza una perfecta higiene en todo tipo de verduras de hoja.

Cestillo de cocción. Puede ser metálico o de bambú y sirve para cocinar vegetales al vapor sin que los ingredientes entren en contacto con el agua. De esta forma se consigue una textura más crujiente y se preservan mucho más los nutrientes.

Colador. Los hay de distintos tipos:

Chino. Colador de forma cónica que se usa para tamizar, pasar y colar caldos, cremas, salsas... Su curioso nombre se debe al parecido que guarda con un antiguo sombrero oriental.

Con mango. Disponible en varios tamaños, suele tener forma semiesférica y sirve para tamizar ingredientes como la harina o el azúcar, blanquear verduras, separar un alimento de su caldo... a través de una malla de alambre fina o gruesa.

Escurridor. A través de los agujeros practicados en la base de este recipiente se retira el agua de los alimentos que contiene (generalmente después del proceso de cocción).

Cuchillos

Son el gran aliado del cocinero vegano. Es imprescindible contar con un buen juego de cuchillos, a ser posible de buena calidad. Para pelar, trocear, picar, cortar... podemos empezar por una colección básica e ir ampliando según nuestras necesidades:

De chef. Su hoja tiene una longitud aproximada de 20-25 cm, es ancha en la base y estrecha en la punta. Debe su nombre a que la mayoría de cocineros profesionales consideran este cuchillo como un elemento imprescindible en cualquier cocina que se precie. La ligera curva de su hoja permite un movimiento rítmico y eficaz sobre la superficie de corte.

De corte. Su hoja mide entre 11 y 20 cm de largo. Es aconsejable para pelar frutas y trocear hortalizas y verduras.

De sierra. De hoja dentada, larga y recta, mide entre 20 y 30 cm. Permite cortar fácilmente cortezas duras, como por ejemplo la piel de los cítricos.

Medialuna. Es un cuchillo de hoja curva en forma de medialuna que sirve para picar hierbas aromáticas, frutos secos... Hay dos modelos:

Medialuna con dos mangos. Se mece de un lado a otro sobre los alimentos que queramos cortar.

Medialuna con un mango central. Se complementa con un cuenco semiesférico de madera, cuya curvatura se ajusta a la forma de la hoja.

Para tomates. Dispone de una hoja de sierra de entre 11 y 13 cm de largo que permite cortar de forma limpia la piel y la pulpa de los tomates más maduros sin riesgo de romperlos. Algunos modelos incorporan una punta en forma de horquilla con la que podemos pinchar las rodajas más finas y delicadas sin partirlas.

Puntilla. Se trata de un cuchillo pequeño cuya hoja mide entre 7 y 10 cm. Sirve para pelar, descorazonar, trocear pequeños alimentos... Su fina punta permite realizar trabajos minuciosos como cortar decorativamente verduras, frutas y hortalizas.

Pelador. Dispone de una abertura en el centro que permite retirar la piel de todo tipo de hortalizas de raíz (zanahorias, patatas, etc), pelar cítricos...

Puntilla de pico de pájaro. Dispone de una hoja corta (entre 5 y 7 cm) y curva que recuerda la forma del pico de un pájaro. Facilita el corte de verduras en formas oblicuas y limpias.

Cuencos. Uno de los elementos más utilizados en la cocina, se trata de un utensilio muy versátil y que podemos adquirir de diferentes materiales, según el uso que queramos darle:

De cristal. Es fácil de lavar y permite ver cómo se mezclan los distintos ingredientes en su interior. Puede introducirse en el congelador, el

microondas y el lavavajillas. Es más aconsejable elegir los modelos de cristal templado ya que aguantan mejor las temperaturas extremas de frío o calor.

De cerámica. Dicho material hace que los ingredientes que contiene cambien lentamente de temperatura, conservándolos fríos o calientes durante más tiempo.

De melamina. Sencillos de lavar, pesan poco y no reaccionan con los elementos ácidos.

De acero inoxidable. A diferencia de otros materiales metálicos (como el cobre o el aluminio), este tipo de boles no reaccionan con los ácidos y son más ligeros y duraderos que los de cerámica o cristal.

De madera. Son los menos habituales en la cocina, es mejor no introducirlos en el lavavajillas ni dejar líquidos en su interior durante mucho tiempo.

Exprimidor. En la elaboración de diversos platos veganos es necesario utilizar el jugo de algún cítrico (naranja, limón...). Este utensilio apenas ocupa espacio en la cocina y permite extraer el zumo de forma manual.

Jarra medidora. Fabricada en cristal transparente lleva impresa en la superficie una serie de medidas en mililitros, onzas, tazas y gramos.

Mortero. Se trata de un recipiente resistente que sirve para majar, moler y mezclar especias, semillas, frutos secos...

Pasapurés. Fabricado en acero inoxidable, es ideal para preparar todo tipo de purés de verdura, legumbres, fruta... También resulta un excelente aliado a la hora de elaborar salsas, sopas...

Ollas/cacerolas. En general, es aconsejable disponer de tres tamaños. Una olla o cacerola honda y ancha para cocinar todo tipo de verduras, caldos, legumbres y pastas; una mediana; y una pequeña para salsas. Puede ser:

De acero inoxidable. Sólida y fácil de limpiar. Es un material muy duradero y puede lavarse en el lavavajillas.

De aluminio y acero. El aluminio es un material ligero y excelente conductor pero reacciona mal con el ácido de los alimentos. Para evitarlo se reviste el interior de la olla o cacerola con una capa de acero inoxidable.

De cobre. Este material es un excelente conductor que permite calentar y enfriar rápidamente los alimentos.

De hierro colado. Liso o esmaltado, se calienta lentamente, retiene muy bien el calor y lo distribuye de forma uniforme.

De barro. En realidad se trata de cerámica cocida y se asocia a la preparación de guisos de cocción lenta y al horno.

Rallador. Liso o de caja, dispone de distintos tamaños de corte para el rallado de todo tipo de verduras, hortalizas o frutas.

Sartenes. Conviene elegir modelos de acero inoxidable o aluminio y con capa antiadherente para evitar que se peguen los alimentos. Es aconsejable disponer de dos o tres tamaños de sartén (entre 25 y 35 cm de diámetro).

Tabla de cortar. Puede ser de madera o de plástico. Mejor optar por aquellos modelos que disponen de una pequeña hendidura para recoger los líquidos y jugos sobrantes durante el proceso de cortado.

Tijeras de cocina. Para cortar hierbas frescas, pequeños tallos, trozos de fruta... Es preferible que sean de acero inoxidable pues son más resistentes.

Pequeños electrodomésticos esenciales

Hay una serie de aparatos básicos para preparar todo tipo de recetas veganas. Son eléctricos y algunos abultan bastante pero vale la pena invertir en ellos si queremos que todo nos resulte mucho más cómodo y rápido de preparar:

- **Batidora.** De vaso o de brazo, es un electrodoméstico muy práctico a la hora de batir, mezclar y amasar alimentos blandos.

- **Exprimidora.** Interesante aliado para elaborar todo tipo de zumos a base de frutas y hortalizas. ¡Atrévete a preparar tus propios cócteles veganos!

- **Licuadora.** Imprescindible para elaborar sopas, salsas, zumos, batidos... Existe una gran variedad de modelos que disponen de diferentes velocidades y capacidades.

- **Olla de cocción lenta.** Pequeño electrodoméstico que permite mantener la temperatura constante durante largos periodos de tiempo. Su capacidad puede variar entre 1 y 7 litros.

- **Robot de cocina.** Es algo aparatoso y puede resultar incómodo en aquellas cocinas que no andan sobradas de espacio. Pero merece la pena hacerse con este aparato capaz de realizar todo tipo de funciones como cortar, mezclar, amasar, cocer a fuego lento, hervir y cocer al vapor. Thermomix es uno de los modelos más populares y existen multitud de libros editados con recetas específicas elaboradas por el famoso aparato.
Para más información, consultar http://thermomix.vorwerk.com/es/

Técnicas culinarias

En la elaboración de platos veganos priman especialmente aquellos procedimientos que permiten preservar mejor la riqueza de nutrientes que contienen los ingredientes utilizados. Según el medio en que se realiza la cocción podemos distinguir las siguientes técnicas:

Cocción en seco

A la parrilla. El secreto de esta técnica está en el fuego. Para asar a la parrilla debemos controlar la intensidad del mismo si no queremos que los alimentos se nos quemen o queden muy resecos. El tipo de fuego que usemos también determinará el sabor de los alimentos asados, según sea eléctrico, a gas, con leña o carbón.

A la plancha. Asar a la plancha es una forma de cocer los alimentos utilizando una fuente muy caliente y uniforme de calor. De esta forma, el ingrediente se dora por fuera y mantiene la jugosidad por dentro. Es un sistema rápido y que no utiliza ningún tipo de aceite o grasa por lo que resulta muy saludable. A la plancha podemos cocinar tempeh, seitán, tofu y todo tipo de verduras y hortalizas.

Al baño maría. Modo de cocción indirecto que resulta muy útil para cocinar aquellos alimentos que se queman fácilmente ya que la temperatura se transmite de forma suave y constante. Generalmente, cuanto más delicado sea el ingrediente, más suave debe ser el hervor. Para ello, se coloca el alimento en un recipiente, y éste a su vez en otro de mayor tamaño lleno de agua. Si queremos obtener buenos resultados es aconsejable no poner mucha agua para evitar que salpique o que el burbujeo mueva en exceso el recipiente que contiene los alimentos.

Gratinar. Consiste en dorar determinados alimentos o preparaciones aprovechando el gratinador del horno. En general, esta técnica se utiliza en las pastas, recetas de verduras y soufflés. Mejora sustancialmente el sabor y la textura de los ingredientes (alcachofas, berenjenas, calabacines...).

Hornear. En el horno podemos utilizar distintas técnicas como el asado, papillote, a la sal... Es importante controlar en todo momento la temperatura del horno y la duración de la cocción.

Cocción en medio líquido o húmedo

Al vapor. Esta técnica es ideal para mantener casi intactos los nutrientes de los alimentos cocidos. Consiste en cocinar los distintos ingredientes mediante la acción del vapor de agua, sin que estos entren en contacto con el medio líquido. Es una de las técnicas culinarias más saludables, no precisa de elementos grasos y mantiene el sabor, la textura y el aroma original de los alimentos. Para cocinar al vapor necesitamos una olla acompañada de un cestillo metálico o de bambú que encaje en ella. También podemos recurrir a una olla de vapor eléctrica con termostato que nos permitirá programar el tiempo de cocción sin necesidad de estar pendientes del fuego. Otras posibilidades son la popular Thermomix (que incorpora un recipiente para este tipo de cocción) o el horno a vapor. Alimentos como el brécol, las alcachofas o las judías quedan exquisitos cocinados mediante esta sencilla técnica.

En caldo blanco. Algunos vegetales (como las alcachofas, las endibias, las acelgas...) se oxidan y ennegrecen cuando son troceados. Para recuperar su tono original podemos utilizar la cocción en caldo blanco. Consiste en cocer las verduras en una mezcla de harina, zumo de limón y agua que evitará el proceso de oxidación. Las proporciones recomendadas son de 1 cucharada de harina y el zumo de 1 limón por cada 2 litros de agua.

Hervir. Es una de las técnicas más utilizadas en la cocina diaria, así como una de las más saludables. Podemos hervir a partir de agua fría (para alimentos que necesitan una cocción prolongada, como ocurre con las legumbres) o de agua caliente (se incorporan los ingredientes cuando se alcanza el punto de ebullición). Esta técnica tiene la desventaja de provocar la pérdida de buena parte de los nutrientes, sobre todo de las vitaminas hidrosolubles y los minerales que, por acción del calor, se quedan en el líquido en que se han hervido los alimentos. De todas formas, siempre podemos aprovechar el agua de la cocción para hacer sopas, salsas...

Escaldar o blanquear. Se trata de una cocción corta en abundante agua hirviendo. El tiempo oscila entre apenas unos segundos y los 2 minutos, según el ingrediente. Dicha técnica precisa a continuación de un rápido enfriamiento en agua fría para detener la cocción del alimento. El blanqueo se utiliza especialmente en las verduras y hortalizas para evitar que oscurezcan, pierdan textura, aroma o vitaminas al cortarlas o pelarlas. Para escaldar necesitamos una olla con agua hirviendo y un recipiente de tamaño similar lleno de agua helada (podemos introducir varios cubitos para enfriarla).

Escalfar o pochar. Consiste en cocer un alimento en un líquido a una temperatura inferior al punto de ebullición (100 °C) a diferencia de lo que ocurre en el escaldado. Por regla general, el escalfado suele realizarse a una temperatura de 80 °C, lo que también se conoce como punto mijoter.

Cocción en medio graso

Dorar. Se realiza cocinando superficialmente los alimentos a la plancha, a la brasa, al horno o con cualquier otra técnica de cocción en seco hasta que adquieren un color "dorado" característico.

Freír. Una de las formas más rápidas y sabrosas de cocinar pero a la vez menos saludable. Este tipo de cocción provoca que los alimentos absorban parte de la grasa y hagan que la comida resulte más calórica. El medio graso ideal para freír es el aceite de oliva porque resiste mejor las altas temperaturas que otras grasas, además de ser menos absorbente.

Rehogar. Esta técnica de cocción rápida suele aplicarse a las verduras antes de hacer un guiso, una salsa u otra elaboración que requiera una cocción larga. El rehogado se realiza en una sartén o cazuela, a alta temperatura pero sin superar los 100 °C, con los ingredientes cortados a pequeños trozos y con el aceite justo para lubricarlos ligeramente. Durante el proceso debemos remover constantemente el recipiente para que el calor se distribuya de forma uniforme y así evitar que los alimentos se quemen.

Saltear. Para esta técnica necesitamos una sartén amplia que nos permita cocinar los ingredientes en una sola capa, sin que se superpongan y con paredes altas para evitar que caigan con el movimiento. Se requiere poco aceite y se cocina a fuego alto durante un corto periodo de tiempo. Para que los ingredientes no se quemen, es importante mover constantemente el recipiente. De esta forma, también se consigue que los ingredientes se cocinen de forma homogénea. El movimiento se efectúa cogiendo el mango de la sartén con firmeza y realizando un gesto de vaivén hacia adelante y hacia atrás de forma enérgica y reiterada. Si lo preferimos, podemos utilizar una espátula y remover los ingredientes sin levantar la sartén del fuego.

Sofreír. Esta técnica es muy parecida al rehogado pero se realiza a fuego lento con el fin de que los alimentos se vayan cocinando poco a poco.

Cocción mixta

Estofar. Dicha técnica culinaria se utiliza para cocinar alimentos que requieren una cocción lenta y prolongada para que queden bien tiernos. Podemos estofar todo tipo de verduras, hortalizas y legumbres, sin necesidad de rehogar.

Guisar. Esta técnica combina la cocción en medio graso (aceite) y la cocción en medio líquido (agua). En primer lugar se rehogan los ingredientes, luego se mojan en un caldo o salsa, y finalmente se cuecen a fuego lento y de forma prolongada. Es una de las técnicas más utilizadas en la preparación de exquisitos platos de cuchara.

¡Fuera mitos!

l veganismo está rodeado de falsos mitos que nada tienen que ver con la realidad. Estos son algunos de los rumores más extendidos:

La dieta vegana provoca anemia: FALSO. Es cierto que la ingestión baja de vitamina B12 (elemento que se encuentra fundamentalmente en productos de origen animal) puede provocar estados carenciales en el organismo, pero la mayoría de las personas veganas lo evitan consumiendo alimentos enriquecidos con dicha vitamina. La Vegan Society recomienda cumplir uno de los siguientes consejos:

Consumir alimentos enriquecidos 2 o 3 veces al día para obtener al menos 3 microgramos de B12 diarios.

Tomar un suplemento de B12 diario que proporcione como mínimo 10 microgramos de dicha vitamina.

Tomar un suplemento de B12 semanal que proporcione al menos unos 2.000 microgramos.

Los veganos que consumen cantidades adecuadas de alimentos enriquecidos o suplementos de B12 tienen menos probabilidades de padecer estados carenciales de esta vitamina que los consumidores habituales de carne.

Es contraproducente que los niños sigan una alimentación vegana: FALSO. La dieta vegana aporta suficientes y variados nutrientes para que los más pequeños de la casa crezcan sanos y fuertes. El consumo regular de alimentos con un elevado aporte energético (cereales, frutos secos, legumbres…) junto con el consumo de frutas y verduras aseguran una ingesta satisfactoria de proteínas.

La leche y sus derivados son esenciales como buena fuente de calcio: CIERTO. Pero alimentos veganos como los cereales, las algas, los frutos secos o las legumbres tienen tasas de absorción de calcio muy superiores y además no tienen colesterol, grasas saturadas…

Comer carne es la mejor manera de obtener hierro: FALSO. Este nutriente está especialmente presente en los cereales, los frutos secos, las verduras de hoja verde o el tofu. Así que podemos prescindir de ella sin miedo a reducir el aporte de hierro al organismo.

La dieta vegana es aburrida: FALSO. El mejor ejemplo para rebatir este mito es el libro de recetas que tienes en las manos. Existen infinidad de platos dulces y salados que podemos preparar a diario sin que resulte una alimentación monótona o aburrida. La cocina, vegana o no vegana, es imaginación y la clave está en saber mezclar los ingredientes de forma apetitosa y creativa.

Es difícil hacerse vegano: FALSO. En este libro recomendamos hacerlo poco a poco, "vegetalizando" los menús y suprimiendo progresivamente todos aquellos ingredientes de origen animal. Al cabo de un tiempo y sin apenas darnos cuenta estaremos siguiendo una dieta cien por cien vegana.

Ser vegano significa ser animalista: FALSO. La gran mayoría de los activistas defensores de los derechos de los animales se abstienen de comer carne por cuestiones éticas. No obstante, eso no significa que todas las personas que siguen esta dieta lo hagan por idéntico motivo, ya que pueden hacerlo por salud, por respeto al planeta, por simple placer…

PRIMEROS:

Hummus ahumado con crudités de apio

6 personas ¦ 45 minutos ¦ Dificultad ✳

Ingredientes

500 g de garbanzos cocidos

2 dientes de ajo

El zumo de 2 limones

½ cucharadita de comino en polvo

2 cucharadas de aceite de oliva

2 cucharadas de tahini

6 cucharadas de agua

Una pizca de sal

Una pizca de pimienta

Aceite de oliva

1 cucharadita de pimentón ahumado

3 ramilletes de apio

1 Mezclamos los garbanzos y los ajos previamente triturados con el comino, el tahini, el zumo de limón, el aceite, el agua, la sal y la pimienta. Trabajamos con la batidora hasta obtener una pasta cremosa.

2 Pelamos y cortamos el apio en tiras finas.

3 Servimos el hummus con un poco de aceite, pimentón ahumado y las tiras de apio.

El **tahini** es una deliciosa pasta elaborada con sésamo que podemos preparar fácilmente en casa. Para ello, basta tostar un poco las semillas de sésamo en una sartén caliente y sin aceite removiendo sin parar para que no se quemen. A continuación trituramos las semillas con delicadeza y poco a poco vamos añadiendo agua hasta conseguir la emulsión deseada.

Babaganoush

6 personas ┊ 15 minutos ┊ Dificultad *

Ingredientes

2 berenjenas

2 dientes de ajo

1 limón

3 cucharadas de tahini

1 cucharadita de sal

3 cucharadas de aceite de girasol

Una pizca de pimentón

Aceite de oliva

1 Ahumamos uniformemente las berenjenas pasándolas por encima de un fogón a fuego lento.

2 En el vaso de la batidora mezclamos y trituramos los dientes de ajo, el zumo de limón, el tahini, la sal y el aceite de girasol.

3 Abrimos las berenjenas ahumadas y retiramos el relleno desechando la piel por completo. Trituramos la pulpa con la ayuda de un tenedor e incorporamos la mezcla del tahini.

4 Servimos el babaganoush con un poco de aceite y pimentón por encima.

El **babaganoush** o mutabal es un delicioso paté de berenjena muy típico en la cocina árabe. Podemos comerlo solo o acompañado de pan de pita o tostadas.

Si lo prefieres...

*Se pueden asar previamente
las **berenjenas** en el horno a una
temperatura de 180 °C.*

Paté de champiñones y nueces

6 personas ¦ 15 minutos ¦ Dificultad ✻

Ingredientes

500 g de champiñones
3 dientes de ajo
1 cebolla
1 cucharadita de
levadura de cerveza
80 g de nueces peladas
1 cucharada de aceite
de oliva
Una pizca de sal
Una pizca de pimienta

1 Pelamos y cortamos la cebolla y los ajos en rodajas finas.

2 Calentamos el aceite en una sartén y doramos la cebolla y los ajos a fuego lento durante 2 minutos.

3 Cortamos los champiñones en láminas e incorporamos a la sartén. Mantenemos el fuego a media intensidad hasta que los champiñones adopten un tono tostado.

4 Tostamos las nueces en el horno a 180 °C durante 2 minutos.

5 En el vaso de la batidora trituramos y mezclamos los ingredientes de la sartén con la levadura de cerveza, una pizca de sal y otra de pimienta.

6 Añadimos las nueces y seguimos trabajando en la batidora hasta obtener una crema fina y homogénea.

7 Servimos el paté acompañado de unas rebanadas de pan.

Los **champiñones** deben limpiarse bien bajo el chorro de agua para retirar los restos de tierra y suciedad. Una vez limpios, podemos consumirlos crudos en deliciosas ensaladas o salteados con aceite de oliva.

Paté de puerros y piñones

6 personas ¦ 40 minutos ¦ Dificultad ✳

Ingredientes

2 bloques de tofu duro

3 cucharadas de aceite de girasol

3 puerros

1 cucharada de aceite de oliva

2 cucharadas de levadura de cerveza

1 diente de ajo

80 g de piñones

1 cucharada de salsa de soja

Una pizca de sal

Una pizca de pimienta

1 cucharadita de pimentón ahumado

Almendras tostadas

Zanahoria

1 Cortamos el tofu en dados y colocamos las piezas en una fuente de hornear con el aceite de girasol. Horneamos a 180 °C durante 25 minutos.

2 Calentamos una sartén con aceite y salteamos los puerros, previamente cortados en rodajas, hasta que adquieran un tono transparente.

3 Tostamos los piñones en el horno a 180 °C durante 1 minuto.

4 En el vaso de la batidora trituramos los puerros, el tofu, la levadura de cerveza, la salsa de soja y el ajo. Salpimentamos.

5 Incorporamos los piñones y servimos el paté resultante con un poco de pimentón ahumado y acompañado de unas crudités de zanahoria. Decoramos con almendras tostadas troceadas.

Hay tres tipos de tofu, según la cantidad de agua que contenga:

» **Tofu blando.** Es el que contiene mayor cantidad de agua. Es ideal para la elaboración de salsas.

» **Tofu duro.** Es más denso y suele utilizarse para acompañar todo tipo de sopas.

» **Tofu extraduro.** Es el más compacto y podemos saltearlo, freírlo o hervirlo cortado en láminas o pequeños dados.

Tabla de quesos crudos

6 personas ¦ 2 horas y 20 minutos ¦ Dificultad *

Ingredientes

500 g de piñones
4 cucharadas de
levadura de cerveza
3 limones
1 cucharadita de sal
1 cucharadita de
pimienta
4 hojas de estragón
3 tomates secos
2 hojas de albahaca
1 lima
2 manzanas
1 pepino
Uvas

1 Dejamos los piñones en remojo durante un par de horas. Colamos y reservamos el agua en un bol.

2 Trituramos los piñones con la levadura de cerveza, el zumo de los limones, la sal y la pimienta. Añadimos un chorrito de agua de piñones hasta obtener una pasta fina y homogénea.

3 Separamos el queso crudo obtenido en 3 partes iguales.

4 Cortamos y mezclamos las hojas de estragón con una de las partes del queso.

5 Cortamos y mezclamos los tomates secos y las hojas de albahaca con otra parte del queso.

6 A continuación, rallamos la piel de la lima y mezclamos con la tercera parte del queso.

7 Cortamos las manzanas en pequeños trozos.

8 Cortamos el pepino en rodajas muy finas.

9 Servimos los quesos en una tabla acompañados de la manzana, el pepino y las uvas.

Crema de calabaza y chirivía

6 personas ¦ 20 minutos ¦ Dificultad ✳

Ingredientes

250 g de calabaza

80 g de chirivía
+ 3 chirivías

2 cebollas de Figueras

2 dientes de ajo

Sal, pimienta y aceite
de oliva

1 Pelamos y cortamos la cebolla y los ajos en trozos pequeños. Mezclamos y sofreímos a fuego lento en un cazo con aceite.

2 Pelamos y cortamos la calabaza y los 80 g de chirivías en trozos pequeños. Mezclamos con la cebolla y los ajos sofritos y seguimos guisando a fuego lento durante un par de minutos más.

3 Llenamos el cazo de agua hasta cubrir la calabaza, añadimos una pizca de sal y pimienta y guisamos a fuego medio hasta que la calabaza esté bien blanda.

4 Pelamos y cortamos las 3 chirivías en tiras bien finas. Rebozamos en abundante sal y dejamos reposar durante 5 minutos. Retiramos la sal con abundante agua y dejamos que se sequen envolviéndolas con servilletas de papel.

5 Calentamos una sartén con bastante aceite y freímos las chirivías. Retiramos del fuego y depositamos en una fuente con papel de cocina para que absorba el exceso de aceite.

6 Trituramos la mezcla de calabaza y chirivía guisada hasta conseguir una textura cremosa.

7 Finalmente, servimos la crema con un chorro de aceite de oliva, una pizca de pimienta y las chirivías fritas.

La **cebolla de Figueras** se reconoce por el característico color rosado de su piel. De consistencia tierna y gusto dulzón, tiene una textura crujiente que la hace ideal para su consumo en fresco.

Crema de brócoli y almendras

6 personas ⋮ 25 minutos ⋮ Dificultad ✳

Ingredientes

2 brócolis
100 g de almendras tostadas
2 dientes de ajo
1 cebolla de Figueras
2 cucharadas de aceite de oliva
50 ml de vino blanco
1 rebanada de pan de payés
Una pizca de sal
Una pizca de pimienta

1 Pelamos y cortamos los dientes de ajo y la cebolla en trozos muy pequeños.

2 Calentamos el aceite en una cacerola y sofreímos los ajos y la cebolla durante 3 minutos a fuego medio.

3 Añadimos el vino blanco y dejamos que hierva durante 1 minuto.

4 Retiramos los tallos de los brócolis e incorporamos a la cacerola. Añadimos agua hasta cubrir la verdura unos 3 dedos y dejamos que hierva durante 5 minutos.

5 Incorporamos 90 g de almendras, el pan de payés, sal y pimienta. Con la ayuda de la batidora, trituramos bien hasta obtener una crema fina y homogénea.

6 Servimos la crema con el resto de las almendras y un poco de aceite de oliva.

El **brócoli** es una de las verduras con más nutrientes y menor cantidad de calorías. La mejor época para consumirlo es durante los meses de primavera e invierno.

Sopa de maíz frito

6 personas ¦ 30 minutos ¦ Dificultad ✳

Ingredientes

1 cebolla

2 dientes de ajo

2 tomates rojos

1 cucharadita de pimentón

2 l de agua

1 cucharadita de aceite de girasol

100 g de maíz frito

Una pizca de sal

Una pizca de pimienta

Una pizca de chile chipotle (opcional)

2 aguacates

1 Pelamos y cortamos la cebolla y los ajos en trozos pequeños.

2 Calentamos el aceite en una cacerola y doramos la cebolla y los ajos a fuego lento.

3 Incorporamos los tomates cortados en trozos pequeños y seguimos rehogando la mezcla a fuego lento durante unos 5 minutos más.

4 Añadimos el pimentón, removemos bien e incorporamos el agua y el chile chipotle.

5 Llevamos el caldo a ebullición, salpimentamos y mantenemos a fuego lento y con la cacerola tapada durante 5 minutos más.

6 Trituramos ligeramente el maíz frito e incorporamos al caldo los trozos irregulares.

7 Finalmente, servimos la sopa en un bol acompañada de unos cuantos trozos de aguacate.

Sopa de cebolla con pan al ajillo

6 personas ¦ 30 minutos ¦ Dificultad *

Ingredientes

2 cebollas rojas

2 cebollas tiernas

2 cebollas de Figueras

2 cebollas picantes

3 dientes de ajo

250 ml de cava

1 hoja de laurel

2 cucharadas de aceite de oliva

Una pizca de sal

Una pizca de pimienta

Una pizca de cebollino

Para el pan:

6 trozos de pan de pueblo

125 ml de aceite de oliva

2 dientes de ajo

Una pizca de sal

1 Pelamos y cortamos las cebollas y los ajos en rodajas.

2 Calentamos el aceite en una cacerola y doramos los ajos a fuego lento durante un par de minutos.

3 Incorporamos las cebollas y cocinamos a fuego lento durante unos 10 minutos, removiendo constantemente para evitar que se peguen en el fondo.

4 Añadimos el cava y el laurel. Mantenemos a fuego lento hasta que el alcohol se haya evaporado por completo.

5 Cubrimos la cacerola con agua hasta doblar la altura de las cebollas y salpimentamos. Tapamos y mantenemos a fuego lento hasta 5 minutos después de su ebullición.

6 Para preparar el pan, mezclamos en la batidora los 125 ml de aceite de oliva, los ajos pelados y una pizca de sal hasta obtener una salsa líquida.

7 Horneamos las rebanadas de pan previamente untadas con esta salsa durante 5 minutos a 180 °C.

8 Servimos la sopa con una rebanada de pan y cebollino cortado por encima.

Sopa de shiitake, lima y azafrán

6 personas ¦ 25 minutos ¦ Dificultad ✳

Ingredientes

6 hebras de azafrán

1 lima

200 g de shiitake

2 ajos tiernos

1 zanahoria

1 l de agua

2 cucharadas de aceite
de oliva

1 cucharada de aceite
de sésamo

Una pizca de sal

Una pizca de pimienta

1 Calentamos una sartén y tostamos las hebras de azafrán.

2 Pelamos y cortamos en rodajas la zanahoria y los ajos tiernos.

3 Calentamos aceite de oliva en una olla y doramos las rodajas de zanahoria a fuego medio durante 3 minutos. Añadimos los ajos tiernos y cocinamos durante 2 minutos más.

4 Añadimos el agua, los shiitakes enteros y la piel de la lima. Salpimentamos y cocinamos a fuego lento hasta que hierva. Mantenemos en el fuego 10 minutos más.

5 Servimos la sopa con un chorrito de aceite de sésamo.

Espárragos con mermelada de cebolla

6 personas ¦ 25 minutos ¦ Dificultad *

Ingredientes

42 espárragos (7 piezas
por persona)

5 cebollas de Figueras

3 cucharadas de azúcar
moreno

6 rebanadas de pan
de pueblo

2 dientes de ajo

12 tomates cherry

Aceite de oliva

Sal y pimienta

1 Pelamos y cortamos las cebollas en rodajas finas.

2 En una olla rehogamos a fuego lento las cebollas con el azúcar
moreno hasta reducir el agua y caramelizar el azúcar. Reservamos
la mermelada resultante.

3 Hervimos los espárragos durante 30 segundos y los enfriamos
inmediatamente en agua fría.

4 Calentamos un poco de aceite en una sartén parrillera y doramos
ligeramente los espárragos. Retiramos del fuego y salpimentamos.

5 Servimos los espárragos sobre las rebanadas de pan untado con
ajo, un poco de mermelada, dos tomates cherry, aceite de oliva,
sal y pimienta.

Los **espárragos** pueden prepararse al vapor, fritos, a la brasa, asados,
gratinados... Eso sí, se recomienda servirlos bien calientes o tibios
ya que fríos pierden gran parte de su delicioso sabor. Asimismo, si se
sirven acompañados de una salsa, ésta también debe estar caliente.

Ensaladilla rusa

6 personas ¦ 30 minutos ¦ Dificultad ✳

Ingredientes

100 g de zanahoria

200 g de patatas

100 g de aceitunas
negras sin hueso

100 g de guisantes
frescos y pelados

½ taza de leche de soja
sin azúcar

1 taza de aceite
de girasol

El zumo de 1 limón

Una pizca de sal

Una pizca de pimienta

1 Pelamos y cortamos las zanahorias y las patatas en trozos irregulares. En dos cazos calentamos agua y hervimos las hortalizas por separado hasta que estén bien tiernas. Reservamos en el frigorífico.

2 Cortamos las aceitunas en trozos irregulares.

3 Mezclamos la leche de soja con el aceite de girasol, añadimos el zumo de limón y salpimentamos. Reservamos la mahonesa en el frigorífico.

4 En un bol mezclamos las patatas, las zanahorias, las olivas, los guisantes y la mahonesa. Salpimentamos y servimos.

A diferencia de la lecha de vaca, la **leche de soja** no contiene lactosa, caseínas (proteínas lácteas), vitamina B12, grasas saturadas y colesterol. Además, aporta menor cantidad de sodio y calorías. Es ideal para preparar todo tipo de cremas, salsas, batidos, helados, etc.

Si lo prefieres...

En lugar de **guisantes**, se pueden utilizar habas frescas peladas, boniatos, pimientos asados...

Polenta frita con salsa barbacoa

6 personas ¦ 40 minutos ¦ Dificultad *

Ingredientes

½ taza de polenta
2 tazas de agua
Un poco de tomillo
Una pizca de sal
Una pizca de pimienta

Para la salsa:

2 cebollas rojas
125 ml de vinagre
de Jerez
100 g de azúcar
moreno
1 cucharada de
pimentón ahumado
30 g de pasas
de Corinto
Una pizca de sal

1 Llevamos a ebullición las dos tazas de agua e incorporamos la polenta, el tomillo, la sal y la pimienta. Removemos bien y cocinamos a fuego lento y con la olla tapada durante 20 minutos.

2 Introducimos la polenta en una fuente untada con un poco de aceite y dejamos que se enfríe.

3 Para preparar la salsa barbacoa, hervimos las cebollas peladas y cortadas, el azúcar, el vinagre, las pasas y la sal. Mantenemos a fuego medio hasta que el vinagre se haya evaporado por completo.

4 Añadimos el pimentón ahumado y trituramos con la batidora de mano hasta obtener una salsa fina y homogénea. Dejamos enfriar en el frigorífico.

5 Cortamos la polenta imitando la forma alargada de las patatas fritas y freímos en abundante aceite.

6 Servimos la polenta frita acompañada de la salsa barbacoa.

La **polenta** es una sémola elaborada a base de maíz originaria del norte de Italia. Se trata de un alimento con gran aporte calórico y muy rico en vitaminas del complejo B.

Raviolis de remolacha con queso crudo

6 personas ¦ 35 minutos ¦ Dificultad ✳

Ingredientes

3 remolachas crudas

300 g de nueces de macadamia

3 cucharadas de levadura de cerveza

1 cucharadita de sal

Una pizca de pimienta

1 limón

3 hojas de estragón

Brotes de cebolla

Pistachos verdes

Para la salsa:

2 pimientos rojos

1 cebolla de Figueras

1 diente de ajo

Una pizca de sal

Una pizca de pimienta

1 Dejamos las nueces en remojo durante 3 horas. Colamos y reservamos el agua sobrante en un bol.

2 Con la ayuda de una batidora de mano, trituramos las nueces con la levadura de cerveza, la sal, la pimienta, el zumo del limón y el estragón. Añadimos poco a poco el agua de las nueces hasta obtener una textura cremosa.

3 Para elaborar la salsa, abrimos los pimientos rojos, extraemos las semillas y trituramos junto a la cebolla, el ajo, la sal y la pimienta.

4 Pelamos y cortamos las remolachas en rodajas muy finas.

5 Sobre cada rodaja de remolacha servimos 1 cucharadita de ricota de nueces y acompañamos con la salsa de pimientos, pistachos y brotes de cebolla.

Alcachofas asadas con aceite de hierbas

6 personas ¦ 40 minutos ¦ Dificultad ✳

Ingredientes

12 alcachofas
1 manojo de albahaca
1 manojo de romero
1 manojo de perejil
1 manojo de tomillo
2 dientes de ajo
300 ml de aceite
de oliva
2 cucharaditas de sal
3 tomates de rama
Una pizca de pimienta

1 Con la ayuda de una batidora eléctrica trituramos las hojas de todas las hierbas.

2 Incorporamos el aceite de oliva, los dientes de ajo, la sal y seguimos triturando hasta que no queden grumos. Introducimos el aceite de hierbas en una fuente grande.

3 Cortamos la mitad del tronco de las alcachofas y retiramos las hojas exteriores. Cortamos en cuartos y sumergimos los trozos en el aceite de hierbas.

4 Dejamos reposar las alcachofas durante 15 minutos y luego las introducimos en una fuente para hornear.

5 Tapamos con papel de aluminio y horneamos a 180 °C durante 20 minutos.

6 Servimos los tomates cortados en rodajas y las alcachofas espolvoreadas con una pizca de pimienta.

La **alcachofa** es una verdura que puede cocinarse de múltiples maneras: hervida, al vapor, frita, rebozada, guisada, en sofrito, a la brasa, al horno... Eso sí, al cortarla y manipularla hay que tener cuidado porque sus hojas se oxidan con mucha facilidad. Para evitarlo, se recomienda frotarlas con medio limón o rociarlas con un chorrito de vinagre.

Crema de zanahoria, naranja y piñones

6 personas ¦ 30 minutos ¦ Dificultad *

Ingredientes

2 dientes de ajo

1 cucharadita de jengibre rallado

1 cebolla

9 zanahorias

La ralladura de ½ naranja

1 cucharada de aceite de oliva

2 cucharaditas de sal

1 cucharadita de pimienta

1 brick de crema de avena

50 g de piñones

1 Pelamos y cortamos los dientes de ajo en láminas.

2 En una cacerola calentamos a fuego lento 1 cucharada de aceite de oliva. Incorporamos el ajo y el jengibre.

3 Pelamos y cortamos la cebolla en trozos pequeños e incorporamos al sofrito.

4 Pelamos y cortamos las zanahorias en rodajas y añadimos a la mezcla que tenemos en el fuego.

5 Seguimos cocinando durante 5 minutos más, hasta que las zanahorias adquieran un aspecto ligeramente tostado.

6 Incorporamos la ralladura de naranja.

7 Añadimos la sal, la pimienta y el agua hasta cubrir el guiso por completo. Cocinamos a fuego medio durante 10 minutos.

8 Trituramos la mezcla hasta obtener una fina crema.

9 Servimos acompañada de piñones, un chorrito de aceite de oliva y 1 cucharada de crema de avena.

Ensalada de fideos soba y boniato

6 personas ┆ 25 minutos ┆ Dificultad *

Ingredientes

6 paquetes de
fideos soba

2 boniatos

150 g de cacahuetes
salados

1 lechuga de hoja
de roble roja

12 espárragos

2 cucharadas de aceite
de oliva

1 hoja de alga nori

Para la vinagreta:

125 ml de aceite
de girasol

70 ml de vinagre
de arroz

1 cebolla dulce

1 cucharada de miso

1 cucharada de salsa
de soja

2 cucharadas de tahini

1 En una olla llena de agua calentamos los fideos a fuego medio hasta que estén tiernos, aproximadamente durante 4 minutos.

2 Pelamos y cortamos los boniatos en dados. Calentamos una olla llena de agua e incorporamos los boniatos. Cocemos durante unos 8 minutos y seguidamente los sumergimos en agua fría.

3 Cortamos, lavamos y reservamos las hojas de la lechuga hasta que estén bien secas.

4 Cortamos los espárragos en cuatros trozos y los salteamos en una sartén con aceite bien caliente.

5 Cortamos la hoja de alga nori en tiras.

6 Para preparar la vinagreta mezclamos y trituramos todos los ingredientes hasta que no queden grumos.

7 En el fondo de un bol colocamos unas cuantas hojas de roble.

8 Por encima servimos los fideos, los cacahuetes, el boniato, los espárragos y las tiras de alga. En varios cuencos pequeños servimos un poco de vinagreta para cada comensal.

Ensalada de hinojo y piña

6 personas ¦ 15 minutos ¦ Dificultad ✳

Ingredientes

3 hinojos
1 piña
60 g de almendras marcona peladas
60 g de cacahuetes tostados
4 limas
1 cucharada de sal
1 paquete de canónigos
Una pizca de pimienta
Una pizca de sal

1 Con la ayuda de una mandolina o cuchillo bien afilado cortamos las hojas de hinojo en rodajas.

2 Llenamos un bol de agua hasta la mitad y añadimos el zumo de 3 limas y la cucharada de sal.

3 Pelamos y cortamos la piña a dados. Salteamos la fruta en una sartén a fuego alto hasta que esté bien dorada.

4 Picamos las almendras y los cacahuetes.

5 Cortamos la lima en medias lunas.

6 En una bandeja servimos los canónigos como base, el hinojo, la piña y los frutos secos.

7 Salpimentamos y decoramos con la lima.

Ensalada de lentejas con vinagreta

6 personas ¦ 10 minutos ¦ Dificultad *

Ingredientes

300 g de lentejas cocidas

100 g de orejones de albaricoque

2 aguacates

1 tallo de apio

2 paquetes de rúcula

1 pimiento rojo

100 g de tomates secos

2 manzanas golden

2 cucharadas de aceite de oliva

1 cucharada de vinagre de vino blanco

2 cucharaditas de sal

1 En un bol grande mezclamos el vinagre, el aceite y la sal.

2 Añadimos los orejones cortados en trozos irregulares.

3 Incorporamos el apio cortado en rodajas muy finas.

4 Añadimos el pimiento rojo y los tomates secos cortados en pequeños dados.

5 A continuación incorporamos los aguacates pelados y cortados a dados.

6 Añadimos las lentejas y las manzanas peladas y cortadas en rodajas de media luna.

7 En cada plato servimos 4 rodajas de manzana y un poco de rúcula. Finalmente, removemos todos los ingredientes del bol con la ayuda de 2 cucharas y servimos por encima.

Ensalada de tofu frito con salsa César

6 personas ┆ 30 minutos ┆ Dificultad ✳

Ingredientes

2 bloques de tofu

1 lechuga romana

1 barra de pan

2 dientes de ajo

1 cucharada de aceite
de oliva

Para la salsa:

250 m de leche de soja

500 ml de aceite
de girasol

4 alcaparras

1 diente de ajo

½ cucharada de
mostaza de Dijon

1 cucharadita de sal

1 limón

1 En una fuente para hornear con un poco de aceite colocamos el tofu cortado a tiras.

2 Horneamos a 180 °C hasta que empiece a coger un color dorado.

3 En otra fuente para hornear colocamos el pan cortado a dados.

4 Horneamos el pan a 180 °C hasta que se haya tostado ligeramente.

5 Restregamos el pan con los dientes de ajo para que cojan todo su aroma. Añadimos la cucharada de aceite de oliva por encima y movemos ligeramente para que el pan se impregne bien.

6 En un bol servimos varias hojas de lechuga lavadas y cortadas en trozos grandes. Añadimos los picatostes y el tofu por encima.

7 Con la ayuda de una batidora eléctrica mezclamos y emulsionamos la leche de soja y el aceite de girasol hasta conseguir una textura parecida a la de la mahonesa. Añadimos la sal, el limón exprimido, la mostaza, el diente de ajo, las alcaparras y volvemos a emulsionar bien hasta conseguir una salsa bien lisa y homogénea.

8 Servimos la ensalada acompañada de 1 cucharón de salsa César por persona.

Patties de maíz

6 personas ¦ 20 minutos ¦ Dificultad *

Ingredientes

1 bote de maíz
1 patata
1 calabacín
2 dientes de ajo
2 cucharaditas de sal
½ taza de pan rallado
1 cucharada de aceite de oliva
½ cucharada de aceite de sésamo
Aceite para freír
Mahonesa
Salsa barbacoa

1 En un bol grande colocamos la patata y el calabacín rallados.

2 Incorporamos los dientes de ajo cortados en trozos muy pequeños.

3 Añadimos el maíz, la sal, el aceite de oliva, el aceite de sésamo y el pan rallado.

4 Mezclamos bien todos los ingredientes con la ayuda de las manos hasta obtener una masa bien compacta.

5 Preparamos 12 bolas de masa de pattie y a continuación las aplastamos hasta darles forma de hamburguesa.

6 En una sartén con aceite freímos las minihamburguesas de tres en tres con cuidado de no romperlas.

7 Una vez bien doradas, retiramos el exceso de aceite con la ayuda de una servilleta y servimos con mahonesa y salsa barbacoa.

Tubérculos con tres salsas

6 personas ┊ 45 minutos ┊ Dificultad ✳

Ingredientes

2 chirivías

2 patatas monalisa

2 remolachas

1 boniato

1 cabeza de ajos

3 cucharadas de aceite de oliva

2 cucharaditas de sal

Una pizca de pimienta negra

Salsa César

Para el alioli:

125 ml de leche de soja

250 ml de aceite de girasol

1 cucharadita de sal

2 dientes de ajo

1 limón

Para la salsa salvaje:

180 ml de alioli

1 cucharada de pimentón ahumado

1 Pelamos y cortamos todos los tubérculos a dados y los colocamos en una fuente para hornear.

2 Cortamos la cabeza de ajos por la mitad e incorporamos a la fuente.

3 Añadimos el aceite, la sal y la pimienta. Removemos bien.

4 Cubrimos con papel de aluminio y horneamos a 180 °C durante 25 minutos.

5 Con la ayuda de una batidora eléctrica emulsionamos la leche de soja, el aceite de girasol y la sal hasta obtener una mahonesa.

6 Añadimos los dientes de ajo y el limón. Seguimos emulsionando hasta obtener un alioli liso y homogéneo.

7 Mezclamos el alioli y el pimentón ahumado.

8 Servimos los tubérculos en una bandeja acompañados de la salsa César, el alioli y la salsa salvaje.

Las **patatas monalisa** son ideales para freír u hornear. Se caracterizan por su piel lisa y de tono amarillento. Es una de las variedades de patata más apreciada en cocina.

Las **chirivías** son unas hortalizas muy parecidas a las zanahorias, aunque su textura no es tan crujiente y acuosa. Se utilizan mucho en la elaboración de sopas, caldos y purés.

SEGUNDOS:

Seitán a la crema con boniato asado y cebolla caramelizada (p. 136) *Seitán picatta con espinacas cremosas* (p. 138) Seitán rebozado con salsa de setas y milhojas de patata (p. 140) *Pinchos morunos de seitán* (p. 142) Ñoquis con salsa de pimiento, nueces y albahaca (p. 145) *Penne con aceite de ajo, aceitunas, espinacas y espárragos* (p. 146) Tagliatelle con salsa de puerros, tomates secos y albahaca (p. 148) *Lingüini con salsa de calabaza y alcaparras* (p. 150) Risotto de shiitake y alcachofa (p. 152) *Arroz salteado con col china, tofu yakitori y zanahorias asadas a la menta* (p. 154) Arroz con calabaza asada al tomillo, salsa de puerros y nueces salteadas (p. 157) *Tofu con salsa agridulce y verduras en aceite de sésamo* (p. 158) Paté de pimiento rojo, nueces de macadamia y romero (p. 159) *Paella de setas y romero* (p. 160) Burrito de frijoles y arroz con guacamole y pico de pollo (p. 162) *Hamburguesa vegana* (p.164) Lasaña cruda (p. 166) *Patatas gratinadas* (p. 168) Tofu frito con salsa de cacahuete (p. 171) *Tofu thai* (p. 172) Albóndigas de la mama (p. 174) *Pasta con seitán y pimiento verde* (p. 176) Polenta con setas (p. 178) *Feijoada* (p. 180) Pimiento relleno de quinoa (p. 183) *Pastel de setas y guisantes* (p. 184) Pizza de alcachofas y albahaca (p. 186) *Pizza de tomates secos y queso de anacardos* (p. 188)

Seitán a la crema con boniato asado y cebolla caramelizada

6 personas ¦ 30 minutos ¦ Dificultad ✱✱

Ingredientes

12 filetes de seitán
2 brick de nata vegetal
3 boniatos
3 cebollas rojas
Aceite de oliva
Sal, azúcar y pimienta

1 Calentamos un poco de aceite en la sartén y doramos el seitán.

2 Incorporamos la nata con una pizca de sal y pimienta. Seguimos calentando a fuego medio durante un par de minutos más.

3 Envolvemos los boniatos por separado en papel de aluminio y los introducimos en el horno a 180 °C durante 20 minutos o hasta que estén bien tiernos.

4 Cortamos las cebollas en rodajas y en una olla tapada calentamos a fuego lento con un poco de azúcar hasta que empiecen a caramelizar.

5 Cortamos los boniatos en rodajas y servimos acompañados de la cebolla caramelizada y el seitán con su crema.

El **seitán** tiene un elevado contenido en proteínas pero es bajo en calorías, ayuda a reducir el colesterol y tiene mucho más calcio y vitaminas que la carne.

Si lo prefieres...

En lugar de boniato se puede optar por pequeños trozos de **calabaza** que asaremos del mismo modo en el horno.

Seitán picatta con espinacas cremosas

6 personas ¦ 40 minutos ¦ Dificultad **

Ingredientes

12 filetes de seitán,
2 tazas de harina
integral y 1 de pan
rallado, 1 cucharada de
tomillo, 1 de orégano,
1 de sal, 1 de pimienta
y 1 de mostaza

Para la salsa:
½ l de caldo vegetal,
6 dientes de ajos,
2 limones, 1 taza
de vino blanco,
2 cucharadas de
levadura de cerveza,
3 alcaparras en sal,
1 cucharadita de harina
de maíz, aceite y sal

Para las espinacas:
½ bloque de tofu
ahumado y ½ natural,
2 cucharadas de
levadura de cerveza,
2 dientes de ajo,
1 cebolla, 250 g de
champiñones,
1 bolsa de espinacas
congeladas, 400 ml de
caldo vegetal y aceite

1 En un bol trituramos los dos tipos de tofu y mezclamos con la levadura de cerveza. Poco a poco añadimos agua hasta conseguir una textura fina y cremosa.

2 En una sartén con 1 cucharada de aceite sofreímos el ajo y la cebolla picada. Cuando empiecen a dorarse, añadimos los champiñones cortados en láminas.

3 Incorporamos las espinacas y 250 ml de caldo vegetal dejando reducir poco a poco hasta que apenas quede agua. Añadimos la crema de tofu y mantenemos a fuego muy bajo y con la olla bien tapada durante 3 minutos. Salpimentamos y reservamos.

4 Ahora le toca el turno a la salsa. En una sartén con 1 cucharada de aceite sofreímos los ajos pelados y cortados. Añadimos el vino y dejamos reducir hasta la mitad. Incorporamos 150 ml de caldo vegetal, el zumo de los limones, las alcaparras, la levadura de cerveza, la harina de maíz previamente disuelta en un poquito de agua y la sal. Dejamos cocer.

5 En un bol mezclamos la harina integral, el pan rallado, las hierbas y una pizca de sal. En otro recipiente mezclamos la mostaza con 4 tazas de agua y batimos bien para que no queden grumos.

6 Con la ayuda de 2 tenedores rebozamos primero el seitán en la mezcla de harina y luego en la mostaza. Repetimos la operación un par de veces y freímos por tandas en una sartén con aceite. Reservamos el seitán sobre una hoja de papel absorbente.

7 Montamos el plato con la crema de espinacas, 2 filetes de seitán y la salsa piccata por encima. Decoramos con rodajas de limón.

Seitán rebozado con salsa de setas y milhojas de patata

6 personas ¦ 50 minutos ¦ Dificultad **

Ingredientes

12 filetes de seitán,
2 tazas de harina y 1 de
pan rallado, 1 cucharada
de tomillo, 1 de orégano,
1 de sal, 1 de pimienta y
2 de pimentón

Para la salsa:

2 cucharadas de aceite
de oliva, 250 g de
champiñones, 250 g de
setas shiitake, ½ cabeza
de ajos, 2 cebollas
picadas, 2 vasos de vino
tinto, 1 rebanada de pan
tostado, 2 cucharadas de
levadura de cerveza,
½ taza de salsa de
soja, 1 de caldo vegetal,
sal, pimienta, salvia y
albahaca

Para el milhojas:

500 g de patatas,
2 cebollas, 4 dientes de
ajo, laurel, tomillo, sal,
pimienta y aceite

1. Empezamos elaborando el milhojas. Para ello, cortamos las patatas y la cebolla a rodajas. A continuación, cortamos los dientes de ajo en trozos pequeños. En un bol grande mezclamos con las hierbas, el aceite de oliva y una pizca de sal y pimienta.

2. Introducimos la mezcla en una fuente de horno tapada con papel de aluminio y horneamos hasta que las patatas estén bien tiernas.

3. Seguimos con la salsa. Doramos el ajo y la cebolla picada. Añadimos el vino y dejamos reducir hasta 1/3 de su volumen.

4. Incorporamos los champiñones y las setas, el pan tostado, la levadura de cerveza y la salsa de soja. Calentamos a fuego lento y con la olla tapada durante 20 minutos.

5. Añadimos el caldo vegetal y cocemos durante 15 minutos. Añadimos las hierbas, trituramos bien y salpimentamos.

6. En un bol mezclamos la harina, el pan rallado, las hierbas, el pimentón y una pizca de sal. En otro recipiente mezclamos 4 tazas de agua con un poco de salsa de soja para darle color.

7. Con la ayuda de un par de tenedores rebozamos primero el seitán en la harina y después en la soja. Repetimos 2 veces la operación. Freímos por tandas en una sartén con abundante aceite y dejamos escurrir sobre papel absorbente.

8. Montamos el plato con una base de salsa, un trozo de milhojas y los filetes de seitán.

Las setas **shiitake** contienen mucha fibra, apenas aportan calorías y proporcionan la mayoría de los aminoácidos esenciales. Son ideales para hacer caldos o agregar a los guisos.

Pinchos morunos de seitán

6 personas ¦ 20 minutos ¦ Dificultad *

Ingredientes

60 trozos de seitán
(cortados en forma
regular)

Aceite de oliva

Sal y pimienta

Brochetas (metálicas o
de madera)

Para el adobo:

1 taza de aceite de oliva

3 dientes de ajo

1 cebolla

1 manojo de perejil

3 cucharadas
de pimentón

Sal

1 Cortamos el perejil, la cebolla y el ajo en trozos pequeños y los mezclamos en un bol con el pimentón, la sal y el aceite de oliva.

2 Ensartamos el seitán en las brochetas (2 por comensal) e introducimos en el adobo durante una noche entera.

3 Al día siguiente, calentamos una sartén con aceite y freímos las brochetas a fuego medio. Servimos bien calientes y acompañadas de pan.

✓ *Un buen truco*
Es conveniente dejar reposar el adobo durante toda una noche para que los pinchos tengan más sabor.

Ñoquis con salsa de pimiento,
nueces y albahaca

6 personas ¦ 45 minutos ¦ Dificultad *

Ingredientes

600 g de ñoquis
2 calabacines

Para la salsa:
3 pimientos rojos
3 dientes de ajo
200 g de nueces
1 manojo de albahaca
½ taza de aceite
de oliva
Sal y pimienta

1 Empezamos preparando la salsa. Introducimos los pimientos y las cabezas de ajo en una bandeja para horno, tapamos con papel de aluminio y horneamos a 180 °C hasta que los pimientos estén bien escalibados.

2 Introducimos las nueces en el horno hasta que estén tostadas.

3 Pelamos los pimientos y los ajos e introducimos en el vaso de la batidora junto a las nueces, la albahaca, el aceite, la sal y la pimienta. Trituramos hasta conseguir una salsa homogénea.

4 Cortamos los calabacines en dados pequeños y regulares. A continuación los salteamos con un poco de aceite, sal y pimienta.

5 Hervimos los ñoquis y servimos acompañados de 1 cucharada de salsa de pimiento y un poco de calabacín.

Penne con aceite de ajo, aceitunas, espinacas y espárragos

6 personas ¦ 15 minutos ¦ Dificultad *

Ingredientes

600 g de penne

½ taza de aceite de oliva

8 dientes de ajo

1 taza de aceitunas

1 manojo de espinacas

3 manojos de espárragos

½ taza de almendras laminadas

1 Calentamos el horno e introducimos las almendras hasta que estén bien tostadas.

2 Deshuesamos y cortamos las aceitunas en rodajas.

3 Cortamos los espárragos en tiras transversales, los blanqueamos durante 1 minuto y rápidamente los remojamos en agua fría.

4 Cortamos los dientes de ajo en dados pequeños.

5 En una sartén calentamos aceite de oliva y salteamos los espárragos y los ajos hasta que estén bien dorados. Apagamos el fuego y añadimos las espinacas, las aceitunas y las almendras.

6 Hervimos la pasta y servimos acompañada con la mezcla anterior.

✓ **Un buen truco**
Para darle un sabor más intenso y picante podemos incorporar un poco de guindilla al salteado.

Tagliatelle con salsa de puerros,
tomates secos y albahaca

6 personas ¦ 25 minutos ¦ Dificultad *

Ingredientes

660 g de tagliatelle

5 puerros

½ de taza de
vino blanco

2 tomates secos

200 g de piñones

5 hojas de albahaca

Aceite de oliva

Sal y pimienta

1 En una olla con un poco de aceite, una pizca de sal, pimienta y el vino indicado, guisamos los puerros cortados en rodajas hasta que estén bien tiernos.

2 A continuación, trituramos la mezcla en la batidora junto a los tomates secos y la albahaca. Añadimos un poco de agua hasta conseguir una textura cremosa.

3 Horneamos los piñones hasta que estén bien tostados y los incorporamos enteros a la salsa de puerros.

4 Hervimos la pasta, colamos y servimos acompañada de la salsa.

✓ *Un buen truco*
Para darle un sabor más intenso podemos incorporar alguna especia al servir el plato.

Lingüini con salsa de calabaza y alcaparras

6 personas ¦ 30 minutos ¦ Dificultad ✳

Ingredientes

900 g de lingüini
1 calabaza larga
1 cebolla picante
3 dientes de ajo
1 cerveza negra
3 alcaparras en sal
Aceite de oliva
Sal y pimienta

1 Pelamos y cortamos las calabazas en dados.

2 En una olla con aceite caliente sofreímos las cebollas y los ajos cortados en finas rodajas hasta que queden transparentes. Añadimos los dados de calabaza, la cerveza negra, sal y pimienta. Mantenemos la olla tapada y a fuego lento hasta que la calabaza esté tierna.

3 Lavamos las alcaparras para retirarles el exceso de sal y las incorporamos a la olla. Mantenemos la olla tapada en el fuego durante 1 minuto más y trituramos toda la mezcla hasta conseguir una salsa fina y homogénea. Salpimentamos.

4 Hervimos los lingüini y servimos acompañados de la salsa de calabaza y las alcaparras.

El lingüini es un tipo de pasta muy parecida al espagueti y originario de Campania, una región de Italia. Por su forma, es una pasta que se adapta bien a todo tipo de salsas y acompañamientos.

Si lo prefieres...

Se pueden sustituir las **alcaparras** por un poco de albahaca fresca que aportará un intenso aroma al plato de pasta.

Risotto de shiitake y alcachofa

6 personas ¦ 20 minutos ¦ Dificultad *

Ingredientes

300 g de arroz integral
2 cebollas
2 dientes de ajo
1 cerveza negra
250 g de shiitake
2 alcachofas
Caldo de verduras
Aceite de oliva
Sal y pimienta

1 Cortamos las cebollas y los dientes de ajo en trozos pequeños y sofreímos todo con un poco de aceite. Añadimos la cerveza y seguimos cociendo hasta que se evapore por completo. Mezclamos con el arroz.

2 Cortamos las alcachofas y los ajos. En una sartén con aceite, salteamos y doramos las verduras.

3 Cortamos las setas en rodajas y las salteamos con un poco de aceite y sal hasta que estén bien doradas. Retiramos del fuego y en un bol aparte mezclamos las setas con las alcachofas. Reservamos.

4 En un cazo con un poco de caldo, hervimos el arroz hasta que el líquido se reduzca aproximadamente a la mitad. Seguidamente, añadimos un buen puñado de la mezcla de setas y alcachofas.

5 Salpimentamos y servimos.

Arroz salteado con col china, tofu yakitori y zanahorias asadas a la menta

6 personas ¦ 40 minutos ¦ Dificultad *

Ingredientes

300 g de arroz integral

½ col china

1 bloque de tofu

1 taza de vino tinto

½ taza de azúcar

¾ de taza de salsa de soja

5 zanahorias

¼ de taza de aceite de girasol

1 manojo de hojas de menta

2 cucharadas de aceite de sésamo

1 cucharadita de sal

Espinacas frescas

Pimienta

1 Cortamos en rodajas y salteamos la col china con un poco de sal, pimienta y aceite de oliva hasta que esté tierna. Mezclamos con el arroz.

2 En un bol preparamos el yakitori mezclando el vino, la salsa de soja y el azúcar bien diluido.

3 Cortamos el tofu en láminas y lo colocamos en una bandeja de horno con un poco de aceite y el yakitori por encima. Horneamos a 180 °C durante 15 minutos o hasta que el tofu esté bien dorado.

4 Pelamos y cortamos las zanahorias a lo largo.

5 Trituramos la menta con el aceite de girasol, el aceite de sésamo y la sal hasta conseguir una textura sin grumos.

6 Introducimos las zanahorias y el aceite de menta en una bandeja para horno y calentamos a 180 °C hasta que las zanahorias estén bien tiernas.

7 Servimos el arroz acompañado del tofu, la zanahoria y las espinacas picadas.

Si lo prefieres...

En lugar de menta se puede
enriquecer este plato añadiendo
hojas de **shiso** o **ajedrea**
de Japón.

Arroz con calabaza asada al tomillo, salsa de puerros y nueces salteadas

6 personas ¦ 30 minutos ¦ Dificultad *

Ingredientes

300 g de arroz integral hervido

1 calabaza larga

2 dientes de ajo

Tomillo

300 g de nueces

3 cucharadas de salsa de soja

3 cucharadas de aceite de oliva

Para la salsa:

4 puerros

½ botella de vino blanco

Sal y pimienta

Aceite de oliva

Leche de soja

Nuez moscada

1 Calentamos una olla con aceite de oliva e introducimos los puerros cortados en rodajas, una pizca de sal, otra de pimienta y el vino. Mantenemos en el fuego hasta reducir todo el alcohol.

2 Trituramos la mezcla en la batidora o thermomix y añadimos un poco de leche de soja y nuez moscada rallada para darle una textura más cremosa.

3 Pelamos y cortamos la calabaza en dados. Colocamos los trozos en una bandeja de horno junto al tomillo y los dientes de ajo, tapamos con papel de aluminio y horneamos a 180 °C hasta que la calabaza esté bien tierna.

4 Salteamos las nueces con el aceite y la salsa de soja hasta que adquieran un tono dorado.

5 En un bol a modo de molde introducimos unas cuantas nueces, después una capa de calabaza y el arroz integral por encima. Presionamos bien y volcamos sobre el plato con cuidado de mantener la forma de flan. Añadimos la salsa y servimos.

Tofu con salsa agridulce y verduras en aceite de sésamo

6 personas ¦ 20 minutos ¦ Dificultad ✳

Ingredientes

12 filetes de tofu
2 pimientos rojos
1 brócoli
1 manojo de espárragos
1 cebolla roja
2 zanahorias peladas
Harina
Aceite de sésamo
Sal y pimienta

Para la salsa:

¼ de piña cortada
en dados
1 taza de caldo vegetal
½ taza de azúcar
¼ de taza de vinagre
de manzana
¼ de taza de ketchup
1 cucharadita de
almidón de maíz
(maicena)
Sal y pimienta

1 Empezamos elaborando la salsa agridulce. Para ello, introducimos todos los ingredientes (excepto la maicena) en una olla y calentamos a fuego lento hasta que el vinagre se haya evaporado por completo. Añadimos la harina diluida en un poco de agua y removemos bien para evitar que la salsa se pegue en el fondo.

2 Rebozamos los filetes de tofu en un plato con harina. A continuación, calentamos una sartén con abundante aceite y doramos el tofu por ambos lados.

3 Blanqueamos los espárragos y el brócoli durante 1 minuto en agua hirviendo y rápidamente los remojamos en agua fría.

4 En una sartén calentamos el aceite de sésamo y salteamos los pimientos, la cebolla, el brócoli, los espárragos y las zanahorias. Salpimentamos.

5 Finalmente, servimos las verduras salteadas junto a los filetes de tofu y la salsa agridulce.

» **El tofu** es una inmejorable fuente de proteínas vegetales de excelente calidad y puede prepararse frito, rebozado, estofado, a la plancha, en sopas, salsas e incluso postres.

» **El aceite de sésamo** es muy sabroso y aromático. Es importante que sea sin refinar ya que así conserva todas sus propiedades nutritivas (rico en hierro, magnesio, vitamina E...).

Paté de pimiento rojo, nueces de macadamia y romero

6 personas ┊ 35 minutos ┊ Dificultad *

Ingredientes

5 pimientos rojos

200 g de nueces de macadamia

4 hojas de romero

8 cucharadas de aceite de oliva

Una pizca de sal

Una pizca de pimienta

1 Empezamos escalibando los pimientos enteros en el horno a unos 180 °C durante 20 minutos. Seguidamente, dejamos enfriar a temperatura ambiente.

2 Asamos las nueces en el horno a 180 °C durante 3 minutos.

3 Pelamos y trituramos los pimientos junto a las nueces, el romero, el aceite y una pizca de sal y pimienta. Trabajamos en el vaso de la batidora hasta obtener una crema fina y homogénea.

4 Servimos el paté acompañado de unas crudités o pan de centeno.

Las **nueces de macadamia** o australianas son muy valoradas por su delicado sabor y suave textura. Tienen un elevado contenido calórico (unas 700 kcal por cada 100 g) y son muy ricas en proteínas, carbohidratos y fibra.

Paella de setas y romero

6 personas ¦ 45 minutos ¦ Dificultad *

Ingredientes

6 vasitos de arroz
2 dientes de ajo
1 cebolla picante
2 tomates rojos
4 hebras de azafrán
100 g de champiñones
100 g de gírgolas
50 g de guisantes
3 cucharadas de aceite de oliva
Una pizca de sal
Una pizca de pimienta
Caldo vegetal
1 rama de romero
Perejil o cebollino

1 Pelamos y cortamos los dientes de ajo y la cebolla en trozos muy pequeños.

2 Calentamos el aceite en una paella e incorporamos los ajos y la cebolla. Cocinamos a fuego medio durante 2 minutos.

3 Cortamos los tomates en cubos e incorporamos a la paella.

4 Cortamos los champiñones y las gírgolas en rodajas. Añadimos las setas a la paella y cocinamos durante 3 minutos.

5 Incorporamos el arroz, el azafrán, los guisantes, la sal, la pimienta y el romero.

6 Cubrimos el arroz con caldo vegetal y cocinamos a fuego lento sin remover hasta que esté listo.

7 Añadimos unas hojas de perejil o cebollino y servimos.

Burrito de frijoles y arroz con guacamole
y pico de pollo

6 personas ┊ 30 minutos ┊ Dificultad ✳✳

Ingredientes

1,5 tazas de frijoles negros, 4 dientes de ajo, 1 hoja de laurel, 250 g de tomate triturado, 1 cucharadita de chile chipotle, 2 cebollas picantes, sal y pimienta, aceite de oliva, 6 tortillas de trigo, 150 g de arroz integral hervido, hojas verdes, jalapeños y rodajas de tomate

Para el guacamole:

4 aguacates, 2 tomates, 1 cebolla, hojas de cilantro, 4 limones y sal

Para el pico de gallo:

2 pimientos rojos, 2 tomates, 1 cebolla roja, unas hojas de cilantro, el zumo de 1 limón y sal

1 Cocemos los frijoles con dos ajos, el laurel y una pizca de sal hasta que estén bien tiernos. Colamos para retirar el exceso de agua.

2 Picamos y sofreímos la cebolla y 2 ajos en una olla grande con aceite de oliva. Incorporamos el tomate triturado y el chipotle y mantenemos a fuego lento hasta que se haya evaporado parte del caldo. Añadimos los frijoles y seguimos guisando a fuego lento y con la olla tapada durante 20 minutos. Removemos de vez en cuando para evitar que el guiso se pegue en la olla. Salpimentamos.

3 Seguimos con el guacamole. Cortamos y colocamos los aguacates en un bol. Picamos los tomates, la cebolla y el cilantro. Mezclamos con el aguacate.

4 Con la ayuda de un tenedor, trituramos bien toda la mezcla y añadimos el zumo de los limones y una pizca de sal. Seguimos triturando hasta conseguir la textura del guacamole.

5 Para el pico de gallo, mezclamos y trituramos todos los ingredientes.

6 Rellenamos las tortillas de trigo con un poco de arroz y una buena cantidad de frijoles. Enrollamos y calentamos ligeramente los burritos en el horno antes de servirlos acompañados del guacamole, el pico de gallo, unas hojas frescas, unos jalapeños y unas rodajas de tomate.

Hamburguesa vegana

6 personas ┆ 20 minutos ┆ Dificultad ✳

Ingredientes

150 g de alubias blancas

150 g de alubias rojas

1 cebolla morada

1 diente de ajo

¼ de taza de cilantro picado

¼ de taza de perejil picado

4 hojas de albahaca

1 cucharada de orégano

1 cucharada de pimentón ahumado

2 cucharadas de pan rallado

1 cucharada de aceite de oliva

Sal y pimienta

1 Introducimos y aplastamos las alubias en un cuenco con la ayuda de un tenedor.

2 Pelamos y picamos el ajo y la cebolla e incorporamos a las alubias.

3 Picamos y mezclamos el cilantro, el perejil y la albahaca.

4 Incorporamos el pimentón, las hierbas, el orégano, el aceite y una pizca de sal y pimienta. Mezclamos bien.

5 Poco a poco añadimos el pan rallado y amasamos la mezcla con la ayuda de las manos.

6 Elaboramos y freímos 6 hamburguesas a fuego medio.

Las especias como el **cilantro**, la **albahaca**, el **orégano** o el **pimentón** son excelentes aliados de la cocina vegana. Aplicadas con mesura enriquecen el sabor, la textura y el aroma de los platos y permiten múltiples combinaciones.

Si lo prefieres...

Se pueden servir las hamburguesas veganas acompañadas de un poco de chile chipotle y serrano. Ambas variedades son muy picantes, así que conviene dosificarlas bien.

Lasaña cruda

6 personas ¦ 40 minutos ¦ Dificultad *

Ingredientes

4 calabacines,
2 tomates, rúcula,
aceite, sal y pimienta

Para la ricota:

2 tazas de anacardos
crudos, 120 ml de agua,
3 cucharadas de zumo
de limón, 2 de levadura
de cerveza y 1 de sal

Para la salsa:

2 tazas de tomates
secos (en remojo
durante 5 horas),

3 tomates de rama,

1 cebolla, 30 g de pasas,

3 cucharadas de zumo
de limón, 2 de orégano,
2 de tomillo y 2 de sal,
2 hojas de albahaca y
una pizca de pimienta

Para el pesto:

1 manojo de albahaca,

1 taza de pistachos
crudos, 60 ml de aceite,

sal y pimienta

1 Trituramos los anacardos (previamente remojados durante un par de horas) y mezclamos con el resto de ingredientes hasta obtener una textura cremosa.

2 A continuación preparamos la salsa de tomate. Mezclamos y trituramos todos los ingredientes.

3 Seguimos con el pesto. Trituramos los pistachos y mezclamos con el resto de ingredientes.

4 Para elaborar el relleno de la lasaña, empezamos cortando el calabacín en finas láminas y los tomates en rodajas.

5 En el fondo de una fuente colocamos 2 láminas de calabacín, añadimos la ricota de anacardos, 1 rodaja de tomate, la salsa de tomate y el pesto de pistacho. Repetimos la misma distribución encima y terminamos con 2 láminas de calabacín, un poco de rúcula, aceite de oliva, sal y pimienta.

» Aunque es considerado como un fruto seco, en realidad el **anacardo** es la semilla de un árbol originario de Brasil. Es muy calórico y rico en vitaminas del grupo B.

» La **rúcula** pertenece a la familia de las coles y es originaria de la cuenca del Mediterráneo y Asia occidental. Muy común en la gastronomía italiana, es rica en vitamina C y minerales como el magnesio, el potasio y el hierro.

Patatas gratinadas

6 personas ¦ 50 minutos ¦ Dificultad ✳

Ingredientes

500 g de patatas
3 cebollas
2 dientes de ajo
1 brócoli
1 coliflor
250 ml de nata vegetal
Una pizca de sal
Una pizca de pimienta
1 cucharada de
pan rallado
Aceite de oliva

1 Cortamos el brócoli y la coliflor en trozos pequeños. Llevamos a ebullición un cazo con agua caliente y cocemos las verduras cortadas durante 3 minutos.

2 Pelamos y cortamos las patatas en rodajas muy finas.

3 Pelamos y cortamos las cebollas y los ajos en rodajas finas.

4 Colocamos el brócoli y la coliflor en el fondo de una fuente y añadimos nata por encima.

5 En un bol mezclamos las cebollas, los ajos y las patatas. Salpimentamos e incorporamos la mezcla por encima del brócoli y la coliflor.

6 Añadimos más nata, un chorrito de aceite de oliva y pan rallado.

7 Cubrimos la fuente con papel de aluminio y horneamos durante 30 minutos a 180 °C.

✓ *Un buen truco*
Para que la receta quede más sabrosa es mejor hornear las patatas en una fuente de barro.

Tofu frito con salsa de cacahuete

6 personas ¦ 20 minutos ¦ Dificultad *

Ingredientes

2 bloques de
tofu blando

Aceite de oliva

2 cebollas

1 cucharada de aceite
de girasol

200 g de manteca
de cacahuete

200 ml de agua

3 cucharadas de
salsa de soja

Unas hojas de cilantro

1 Cortamos los bloques de tofu en dados grandes.

2 Calentamos el aceite en la sartén y freímos los dados de tofu en tandas pequeñas.

3 Pelamos y cortamos las cebollas en rodajas.

4 Calentamos el aceite de girasol en una sartén y añadimos las cebollas. Freímos a fuego medio durante 10 minutos.

5 En el vaso de la batidora trabajamos la manteca de cacahuete, las cebollas, el agua y la salsa de soja hasta obtener una salsa fina.

6 Ensartamos los dados de tofu frito en varias brochetas.

7 Servimos con la salsa de cacahuete y unas hojas de cilantro.

La **manteca de cacahuete** es un alimento muy rico en nutrientes. como las vitaminas del grupo B y E, así como potasio y magnesio. Eso sí, tiene un aporte considerable de calorías por lo que debemos consumirlo con cierta prudencia.

Tofu thai

6 personas ┆ 40 minutos ┆ Dificultad *

Ingredientes

1 bloque de tofu

Aceite de oliva

1 cucharadita de jengibre rallado

2 dientes de ajo

2 cebollas rojas

4 zanahorias

1 cucharada de pasta de curry amarillo

24 tirabeques

1 l de leche de coco

3 cucharadas de aceite de girasol

Sal y pimienta

Unas hojas de cilantro

1 Freímos el tofu cortado en dados hasta que esté bien dorado.

2 Pelamos y cortamos en rodajas los dientes de ajo, las cebollas y las zanahorias.

3 Calentamos una cacerola con el aceite de girasol, añadimos el ajo y el jengibre y cocinamos a fuego medio durante 1 minuto.

4 Incorporamos las cebollas y cocinamos durante 3 minutos.

5 Añadimos las zanahorias, la leche de coco, la pasta de curry, sal y pimienta. Calentamos a fuego lento y con la olla tapada hasta que hierva. Mantenemos durante 5 minutos más.

6 Añadimos el tofu y los tirabeques y cocinamos durante 3 minutos más con la olla destapada.

7 Servimos el guiso acompañado de unas hojas de cilantro.

Los **tirabeques** o bisaltos son unas vainas de la familia de los guisantes muy apreciados en la gastronomía francesa. De sabor agradable y dulzón pueden cocinarse hervidos, salteados, al vapor... Destacan por su aportación de proteínas vegetales, vitaminas B y C, minerales y fibra.

Albóndigas de la mama

6 personas ¦ 30 minutos ¦ Dificultad ✳✳

Ingredientes

1 paquete de tofu
ahumado

3 dientes de ajo

1 manojo de cilantro

1 cucharón de
pimentón ahumado

1 taza de pan rallado

¼ de taza de
caldo vegetal

1 cucharada de sal

1 cucharada
de pimienta

1 cucharadita de
jengibre molido

Aceite de oliva

Para el guiso:

2 dientes de ajo

2 cebollas, 2 zanahorias

250 ml de vino tinto

2 cucharadas de aceite
de oliva y 3 cucharadas
de tomate triturado

200 ml de caldo
vegetal

Pimienta, unas hojas
de cilantro

1 Empezamos elaborando las albóndigas. Pelamos y cortamos los ajos en daditos.

2 Separamos y picamos las hojas de cilantro con la ayuda de un cuchillo bien afilado.

3 En un bol mezclamos los ajos, el cilantro, el tofu, el pimentón, el pan rallado, el caldo, la sal, la pimienta y el jengibre hasta conseguir una masa compacta.

4 Con las manos ligeramente humedecidas preparamos varias bolas con la masa resultante.

5 Calentamos aceite en una sartén y freímos las bolas hasta que estén doradas.

6 Seguimos con el guiso. Pelamos y cortamos los ajos en rodajas.

7 Calentamos el aceite en una sartén y freímos los ajos.

8 Incorporamos las cebollas peladas y cortadas a dados. Removemos bien para que no se quemen los ajos.

9 Pelamos y cortamos las zanahorias en rodajas.

10 Añadimos a la sartén el vino tinto, el tomate triturado, la zanahoria en rodajas, la sal y la pimienta. Guisamos a fuego medio hasta reducir el vino a la mitad.

11 Incorporamos el caldo de verduras y removemos bien.

12 Colocamos las albóndigas en una fuente y servimos por encima el guiso de vino. Decoramos con unas hojas de cilantro.

Pasta con seitán y pimiento verde

6 personas ¦ 25 minutos ¦ Dificultad *

Ingredientes

600 g de espaguetis

500 ml de crema vegetal de soja

2 paquetes de seitán

2 pimientos verdes

3 cucharadas de aceite de oliva

1 cucharada de sal

1 cucharadita de pimienta

1 Cortamos el seitán y los pimientos en dados grandes y reservamos por separado.

2 Calentamos aceite en una sartén a fuego medio y freímos los pimientos durante un par de minutos.

3 Incorporamos el seitán y removemos bien durante 5 minutos con cuidado de que no se pegue.

4 Añadimos la crema, la sal y la pimienta. Seguimos cocinando a fuego bajo durante 2 minutos.

5 En una olla con agua hervimos los espaguetis hasta que estén al dente.

6 Servimos una ración de pasta y añadimos por encima el guiso de seitán.

7 Salpimentamos.

Dado su elevado contenido en proteínas, el **seitán** es un alimento muy recomendado a deportistas o personas con una actividad física considerable. También es un excelente alimento para mujeres embarazadas, durante la infancia y la adolescencia, así como en personas convalecientes.

Polenta con setas

6 personas ¦ 50 minutos ¦ Dificultad **

Ingredientes

1 l de agua

1 apio

1 cebolla

1 zanahoria

1 cabeza de ajo

Romero picado

200 g de polenta
instantánea

Una pizca de sal

Una pizca de pimienta

18 gírgolas

Aceite de oliva

Romesco

250 ml de alioli

4 almendras
marcona peladas

1 En una olla con agua hervimos la cabeza de ajo, la zanahoria, la cebolla y el apio durante 10 minutos.

2 Colamos el caldo y añadimos el romero, la sal y la pimienta.

3 Hervimos el caldo con la polenta instantánea (siguiendo las instrucciones del fabricante).

4 Extendemos la polenta en una fuente de hornear plana.

5 Dejamos que repose durante 30 minutos y cortamos varios círculos con la ayuda de un cortapastas.

6 En una fuente para hornear colocamos 18 rodajas de polenta y 1 gírgola encima de cada una.

7 Con la ayuda de un pincel de cocina pintamos cada rodaja con un poco de aceite y una pizca de sal, pimienta y romero picado.

8 Horneamos durante 10 minutos a 200°C.

9 Con la ayuda de una batidora eléctrica mezclamos y emulsionamos el alioli y las almendras.

10 Servimos 3 rodajas de polenta por persona acompañadas de romesco y alioli de almendra.

Feijoada

6 personas ¦ 35 minutos ¦ Dificultad ✳

Ingredientes

500 g de alubias
negras cocidas

250 ml de caldo vegetal

1 paquete de seitán

1 zanahoria

1 paquete de
tofu ahumado

1 calabacín

1 berenjena

2 dientes de ajo

1 cucharada de sal

1 cucharadita
de pimienta

3 cucharadas de
aceite vegetal

10 hojas de perejil

1 Pelamos y cortamos los ajos en rodajas.

2 En una sartén con aceite freímos ligeramente los ajos.

3 Pelamos y cortamos la zanahoria en forma de dado. Incorporamos a la sartén y cocinamos durante 3 minutos.

4 Añadimos el calabacín, la berenjena y el seitán cortados en dados grandes. Seguimos cocinando a fuego lento durante 10 minutos con la sartén tapada.

5 Incorporamos las alubias y el caldo vegetal. Cocinamos durante 5 minutos a fuego medio.

6 Añadimos el tofu cortado en dados grandes. Apagamos el fuego, salpimentamos y removemos bien.

7 Servimos la feijoada acompañada de unas hojitas de perejil.

La **feijoada** es uno de los platos más representativos de la cocina brasileña y portuguesa. Es una receta muy calórica por lo que se recomienda tomar como plato único y preferentemente durante las estaciones de más frío.

Pimiento relleno de quinoa

6 personas ¦ 40 minutos ¦ Dificultad **

Ingredientes

6 pimientos rojos
½ brócoli
½ coliflor
3 ajos tiernos
100 g de
almendra tostada
1 paquete de tofu
3 vasos de quinoa
1,1 l de agua
Perejil

Para la salsa:

3 zanahorias
2 dientes de ajo
Una pizca de comino
Una pizca de sal
Una pizca de pimienta
2 cucharadas de aceite
250 ml de caldo vegetal

1 Horneamos los pimientos durante 20 minutos a 180 °C. Una vez fríos, retiramos la piel y el tallo.

2 Cortamos el brócoli y la coliflor en pequeños trozos.

3 Hervimos el brócoli durante 2 minutos. Retiramos del agua, escurrimos bien y sumergimos los trozos en agua fría.

4 Introducimos la coliflor en la misma agua y cocemos durante 4 minutos. Escurrimos bien y lavamos los trozos con agua fría.

5 En una sartén con un poco de aceite, sal y pimienta, salteamos los ajos tiernos cortados a rodajas junto al brócoli y la coliflor.

6 En un cazo hervimos el agua (1,1 l) con una pizca de sal. Cuando el agua empiece a hervir, incorporamos la quinoa y cocemos a fuego lento durante 12 minutos con la olla tapada.

7 Picamos el perejil y las almendras. Mezclamos con la quinoa.

8 Cortamos el tofu en tiras y añadimos a la quinoa.

9 Servimos la quinoa en el fondo del plato con la ayuda de un aro y decoramos con el brócoli y la coliflor salteada.

10 Para la salsa freímos el ajo cortado en rodajas y el comino en una sartén con aceite. Pelamos y cortamos las zanahorias en medias lunas muy finas e incorporamos a la sartén. Añadimos el caldo vegetal, la sal y la pimienta. Cocinamos 10 minutos a fuego medio. Trituramos la mezcla con una batidora eléctrica.

11 Rellenamos cada pimiento con la mezcla de la quinoa y las verduras. Servimos con la salsa de zanahoria.

Pastel de setas y guisantes

6 personas ¦ 25 minutos ¦ Dificultad ✹✹

Ingredientes

Para la masa:

400 g de harina
de trigo

200 g de margarina

3 cucharadas de
agua helada

1 cucharadita de sal

1 cucharadita
de pimienta

200 g de champiñones

2 cebollas

100 g de guisantes

2 dientes de ajo

2 cucharadas
de brandy

6 hojas de perejil

3 cucharadas de
aceite de oliva

80 g de maicena

80 g de agua

1 Mezclamos todos los ingredientes de la masa en un bol hasta obtener una masa homogénea. Envolvemos con un film de plástico y reservamos en la nevera mientras se cocina el guiso.

2 En una sartén con aceite freímos durante 2 minutos los dientes de ajo pelados y cortados en rodajas.

3 Añadimos a la sartén las cebollas peladas y cortadas en dados. Cocinamos durante 4 minutos.

4 Incorporamos los champiñones cortados en rodajas y el brandy. Cocinamos durante 5 minutos a fuego medio removiendo con cuidado para que la mezcla no se pegue.

5 Finalmente añadimos los guisantes, la sal, la pimienta y las hojas de perejil. Apagamos el fuego y removemos bien.

6 Mezclamos la maicena con el agua y añadimos al guiso.

7 En un molde introducimos la masa previamente estirada. Pinchamos la base con un tenedor y añadimos el guiso en el centro.

8 Cubrimos con más masa y pinchamos bien para que no se hinche durante el horneado.

9 Pintamos con un poco de aceite y horneamos a 180 °C hasta que la superficie esté bien dorada.

10 Desmoldamos el pastel y servimos bien caliente.

Pizza de alcachofas y albahaca

6 personas ¦ 50 minutos ¦ Dificultad ✳

Ingredientes

Para la masa:
150 g de harina de trigo
100 g de agua
1 cucharadita de sal
1 cucharadita de azúcar
15 g de levadura fresca
1 cucharada de aceite
de oliva

4 tomates de rama
Hojas de albahaca
1 cebolla tierna
12 alcachofas en aceite
4 cucharadas de
tomate triturado
2 cucharadas de aceite
de oliva
Una pizca de sal
Una pizca de pimienta

1 En un bol mezclamos la harina, el agua, la sal, el azúcar, la levadura y el aceite de oliva.

2 Amasamos bien la mezcla encima de una superficie firme y dejamos reposar durante 20 minutos.

3 Espolvoreamos la superficie con un poco de harina y estiramos la masa. Introducimos en una bandeja para pizza.

4 Pinchamos la masa con la ayuda de un tenedor y recubrimos con el tomate triturado.

5 Horneamos la masa durante 5 minutos a 180 °C.

6 Retiramos la masa del horno.

7 Cortamos los tomates en rodajas. Pelamos y cortamos la cebolla en tiras finas. Cortamos las alcachofas en mitades.

8 Decoramos la pizza con las rodajas de tomate, la cebolla, las alcachofas, el aceite de oliva, sal y pimienta.

9 Horneamos a 180 °C durante 15 minutos. Servimos la pizza con las hojas de albahaca.

Pizza de tomates secos y queso de anacardos

6 personas ¦ 30 minutos ¦ Dificultad ✳

Ingredientes

Para la masa:

150 g de harina de trigo

100 g de agua

1 cucharadita de sal

1 cucharadita de azúcar

15 g de levadura fresca

1 cucharada de aceite de oliva

Para el queso:

100 g de anacardos

400 ml de agua

2 cucharadas de levadura de cerveza

1 cucharadita de sal

4 cucharadas de tomate triturado

6 tomates cherry

12 tomates secos

18 hojas de rúcula

Hojas de orégano

1 En un bol mezclamos la harina, el agua, la sal, el azúcar, la levadura y el aceite de oliva.

2 Amasamos bien la mezcla encima de una superficie firme y dejamos reposar durante 20 minutos.

3 Espolvoreamos la superficie con un poco de harina y estiramos la masa. Introducimos en una bandeja para pizza.

4 Pinchamos la masa con la ayuda de un tenedor y recubrimos con el tomate triturado.

5 Horneamos la masa durante 5 minutos a 180 °C.

6 Retiramos la masa del horno.

7 Para el queso trituramos los anacardos, el agua, la levadura de cerveza y la sal en el vaso de una batidora eléctrica hasta obtener una salsa lisa y sin grumos.

8 Cortamos los tomates cherrys en medias lunas y los tomates secos en tiras finas.

9 Decoramos la pizza con el queso de anacardos, los tomates secos, los tomates cherry y las hojas de rúcula. Horneamos a 180 °C durante 15 minutos.

10 Retiramos la pizza del horno y servimos con unas hojitas de orégano fresco.

POSTRES:

Brownies

6 personas ¦ 1 hora ¦ Dificultad ✳

Ingredientes

300 g de harina

350 g de azúcar
moreno

1 cucharadita de polvo
de hornear

1 cucharadita de sal

30 g de cacao en polvo

250 ml de agua

200 g de chocolate

200 g de margarina

1 cucharadita
de vainilla

50 g de nueces

1 En un bol mezclamos la harina, el azúcar, la sal, el polvo de hornear y el cacao.

2 A continuación deshacemos el chocolate y la margarina en un mismo cazo a fuego medio.

3 Mezclamos la harina con el chocolate fundido, el agua, la vainilla y las nueces.

4 Introducimos la masa en una bandeja de 20 x 40 cm y horneamos a 150 °C durante 50 minutos.

5 Dejamos enfriar y cortamos en pequeños rectángulos.

El **brownie** (literalmente "marroncito") es un bizcocho de chocolate típico de Estados Unidos que surgió fruto de un accidente culinario: cuentan que a finales del siglo XIX un cocinero norteamericano estaba preparando un bizcocho y se olvidó poner levadura.

Cookies de chips de chocolate

6 personas ¦ 30 minutos ¦ Dificultad ✳

Ingredientes

300 g de harina

200 g de azúcar moreno

½ cucharadita de bicarbonato

1 cucharadita de sal

300 g de margarina

100 g de pepitas de chocolate

1 cucharadita de vainilla

50 g de naranja confitada

1 Picamos bien fina la naranja confitada con la ayuda de un cuchillo.

2 Mezclamos en un bol la harina, el azúcar, el bicarbonato y la sal.

3 Incorporamos las pepitas de chocolate, la margarina y la vainilla. Mezclamos bien hasta obtener una masa firme.

4 Elaboramos varios cookies y los colocamos en una bandeja de horno.

5 Horneamos a 180 °C hasta que los bordes de las galletas estén bien dorados. Dejamos enfriar sobre una rejilla y servimos.

Si lo prefieres...
*Para preparar **naranja confitada** necesitamos 1 naranja, 250 g de azúcar y 200 g de agua. Cortamos la naranja en rodajas y hervimos a fuego lento junto al azúcar y el agua durante 2 horas, aproximadamente.*

Las cookies son el nombre que reciben las galletas redondas con pepitas de chocolate. Muy consumidas en los países anglosajones, existen infinidad de variedades.

Muffins de chocolate y plátano

6 personas ¦ 30 minutos ¦ Dificultad ✳

Ingredientes

310 g de harina

280 g de azúcar moreno

80 g de cacao en polvo

1 cucharadita de polvo de hornear

1 cucharadita de sal

½ cucharadita de bicarbonato

270 ml de agua

180 g de aceite de girasol

1 plátano

1 cucharadita de vainilla

1 En un bol mezclamos la harina, el azúcar, el cacao, el polvo de hornear, el bicarbonato y la sal.

2 Añadimos el agua, la vainilla y el aceite de girasol y batimos bien hasta obtener una masa fina y homogénea.

3 Cortamos el plátano en rodajas muy finas e incorporamos con cuidado a la masa.

4 Introducimos la masa en varios moldes de madalena y horneamos a 180 °C hasta que esté bien cocida.

El origen de los muffins se remonta a la Inglaterra del s. XVIII. Su nombre deriva del original *moofin*, adaptación del término francés *moufflet* (pan suave).

✓ *Un buen truco*
Si al pinchar la madalena con un palillo de madera la punta permanece seca significa que ya está lista para retirar del horno.

Muffins de limón

10 personas ┆ 30 minutos ┆ Dificultad ✳

Ingredientes

380 g de harina

280 g de azúcar moreno

1 cucharadita de polvo de hornear

1 cucharadita de sal

½ cucharadita de bicarbonato

270 ml de agua

200 g de aceite de girasol

3 limones

1 cucharadita de vainilla líquida

225 g de azúcar glass

75 g de zumo de limón

1 En un bol mezclamos la harina, el azúcar, el polvo de hornear, el bicarbonato y la sal.

2 Añadimos el agua, la vainilla y el aceite de girasol. Batimos bien hasta obtener una masa fina y homogénea.

3 Rallamos la piel de los limones e incorporamos a la masa.

4 Introducimos la masa en varios moldes para madalena y horneamos a 180 °C hasta que esté bien cocida.

5 Para el limón glacé mezclamos el azúcar glass con el zumo de limón y batimos bien hasta que no queden grumos.

6 Terminamos cubriendo con el glaseado.

✓ *Sin batidora*

Una de las diferencias entre las madalenas y los muffins es que en estos últimos no es necesario batir demasiado los ingredientes. De esta forma, el resultado es una masa menos esponjosa y más densa, tan característica de los muffins.

* foto en página anterior

Crumble de avellana

5 personas ¦ 20 minutos ¦ Dificultad ✳

Ingredientes

100 g de harina
de trigo

100 g de azúcar
moreno

100 g de harina
de avellana

100 g de margarina

1 cucharadita de sal

1 Mezclamos todos los ingredientes en un bol.

2 Rallamos la masa con la ayuda de un rallador e introducimos
pequeños montoncitos de masa en la bandeja del horno.

3 Horneamos durante 8 minutos a 180 °C.

La harina de avellana es una excelente fuente de proteínas y fibra.
Podemos utilizarla en la elaboración de todo tipo de pasteles, galletas
y panes.

foto en página 203

Crumble de manzana

10 personas ¦ 40 minutos ¦ Dificultad *

Ingredientes

100 g de harina
de trigo

100 g de azúcar
moreno

100 g de harina
de almendra

100 g de margarina

1 cucharadita de sal

5 manzanas
(variedad golden)

1 cucharadita de canela

2 limones

1 Pelamos y cortamos las manzanas a dados. Introducimos la fruta en una bandeja y cubrimos con el zumo de los limones y la canela.

2 En un bol mezclamos las distintas harinas, el azúcar, la margarina y la sal.

3 Rallamos la masa resultante con la ayuda de un rallador y espolvoreamos por encima de la manzana.

4 Horneamos a 180 °C hasta que la superficie del crumble empiece a dorarse.

El **crumble** es un pastel típico inglés elaborado con todo tipo de fruta, como manzanas, uvas, ciruelas, peras, etc. Se cree que este dulce nació durante la Segunda Guerra Mundial debido al racionamiento de alimentos que existía en el Reino Unido durante el largo conflicto.

Sablé de almendra y flor de azahar

5 personas ⎪ 20 minutos ⎪ Dificultad *

Ingredientes

100 g de harina de trigo
100 g de azúcar moreno
100 g de harina de almendra
100 g de margarina, 1 cucharadita de sal
1 cucharada de flor de azahar

1 Mezclamos todos los ingredientes en un bol.

2 Estiramos la masa entre un par de hojas de hornear.

3 Con la ayuda de un cortapastas extraemos varios trozos de masa (de unos 4 cm de diámetro) y los introducimos en otra bandeja.

4 Horneamos a 180 °C durante 8 minutos.

La pasta sablé o quebrada sirve como base para elaborar todo tipo de galletas, tartas dulces y saladas, tipo quiches o tartaletas. En Francia se conoce como sablé (arena) por su consistencia arenosa.

Sablé de chocolate

5 personas ⎪ 20 minutos ⎪ Dificultad *

Ingredientes

70 g de harina de trigo
30 g de cacao en polvo
100 g de azúcar moreno
100 g de harina de almendra
100 g de margarina
1 cucharadita de sal
1 cucharada de vainilla

1 Mezclamos los ingredientes en un bol.

2 Con la ayuda de un rodillo, estiramos la masa entre 2 hojas de hornear.

3 Con la ayuda de un cortapastas extraemos varios trozos de masa (de unos 4 cm de diámetro) y los introducimos en otra bandeja.

4 Horneamos a 180 °C durante 8 minutos.

✓ *Un buen truco*

Es conveniente dejar reposar la masa antes de usarla para que así sea mucho más manejable.

Crumble de avellana, sablé de almendra y sablé de chocolate

Pastel de zanahoria y nueces

10 personas ¦ 50 minutos ¦ Dificultad **

Ingredientes

300 g de harina de
trigo integral

270 g de azúcar
moreno

1 cucharadita de sal

1 cucharadita de canela

1 cucharadita de
bicarbonato

1 cucharadita de polvo
de hornear

300 g de zanahoria

200 ml de agua

1 cucharadita
de vainilla

180 g de aceite
de girasol

130 g de nueces

Para la naranja glacé:

300 g de azúcar glass

100 g de zumo
de naranja

1 En un bol mezclamos la harina, el azúcar, la sal, la canela, el bicarbonato y el polvo de hornear.

2 Pelamos, cortamos y rallamos las zanahorias bien finas.

3 Incorporamos a la mezcla el aceite, el agua, la vainilla, la zanahoria y las nueces. Batimos hasta obtener una masa bien homogénea.

4 Introducimos la masa en un molde de corona y horneamos a 180 °C hasta que esté bien cocida.

5 Pinchamos el bizcocho con un palillo de madera para comprobar si está cocinado.

6 Para la naranja glacé mezclamos el azúcar glass con el zumo de naranja y batimos bien hasta que no queden grumos.

7 Cubrimos el pastel con el glaseado y servimos.

Plum cake de arándanos

6 personas ¦ 45 minutos ¦ Dificultad ✳

Ingredientes

175 g de harina

140 g de azúcar
moreno

½ cucharadita de polvo
de hornear

½ cucharadita de sal

½ cucharadita de
bicarbonato

140 ml de agua

140 g de aceite
de girasol

100 g de arándanos

2 limones

1 cucharadita
de vainilla

1 En un bol mezclamos la harina, el azúcar, el polvo de hornear, el bicarbonato y la sal.

2 Añadimos el agua, el zumo de los limones, la vainilla y el aceite de girasol. Batimos bien hasta obtener una masa fina y homogénea.

3 Incorporamos los arándanos y mezclamos con cuidado.

4 Introducimos la masa en un molde de plum cake y horneamos a 180 °C hasta que esté bien cocida.

Si lo prefieres...

Como alternativa a los
arándanos se pueden utilizar
frambuesas que quedarán
deliciosas acompañadas del
sabor ácido y refrescante
del limón.

Mousse de chocolate

6 personas ¦ 10 minutos ¦ Dificultad *

Ingredientes

100 g de leche de soja
1 vaina de vainilla
225 g de chocolate al
70 por ciento
125 g de nata vegetal
para montar
Mantequilla
Agua de naranjo

1 En un cazo mezclamos la nata con el chocolate.

2 Mientras, llenamos el vaso de la batidora eléctrica con la cobertura de leche.

3 Añadimos la nata hirviendo y emulsionamos a baja velocidad.

4 Incorporamos el agua de naranjo y la mantequilla. Seguimos batiendo hasta obtener una emulsión bien fina.

5 Vertemos la mezcla en una bandeja y reservamos en la nevera para que cuaje durante un mínimo de 6 horas.

6 Cortamos cuadrados a la medida preferida y amasamos dándoles forma esférica.

7 Bañamos las bolas en el chocolate con leche. Dejamos enfriar y espolvoreamos con cacao en polvo.

Chupitos de pasas

6 personas ¦ 30 minutos ¦ Dificultad **

Ingredientes

200 g de pasas
50 ml de ron
500 ml de leche de soja
80 g de azúcar
1 naranja
30 g de maicena

1 En un cazo introducimos las pasas, cubrimos con agua y añadimos el chupito de ron. Hervimos durante 30 minutos a fuego lento y reservamos en pequeños vasitos.

2 Rallamos la piel de la naranja.

3 Hervimos la leche con el azúcar y añadimos la ralladura de naranja.

4 En un cazo diluimos la maicena con un poco de agua y calentamos a fuego lento durante 2 minutos sin dejar de remover.

5 Incorporamos la crema inglesa de naranja en cada vasito con cuidado de no penetrar en las pasas creando así un par de capas bien definidas.

6 Reservamos en la nevera durante unas horas.

7 Antes de servir decoramos con una rodaja de naranja (tipo sanguina).

La leche de soja es una bebida vegetal que no contiene lactosa, caseínas (proteínas lácteas), vitamina B12, grasas saturadas, colesterol y aporta menor cantidad de sodio y calorías que la leche de vaca.

Bizcocho de cerezas

6 personas ¦ 50 minutos ¦ Dificultad ✳✳

Ingredientes

150 g de harina de trigo

110 g de azúcar

1 cucharadita de bicarbonato

¼ de cucharadita de impulsor

½ cucharadita de sal

30 g de maicena

100 ml de aceite de girasol

140 ml de leche de avena

2 limones

300 g de cerezas

150 g de azúcar

10 g de pectina

1 En un bol mezclamos la harina de trigo, el azúcar, el bicarbonato, el impulsor, la sal y la maicena.

2 Incorporamos el aceite, el zumo de los limones y la leche de avena. Mezclamos bien hasta obtener una masa fina.

3 Introducimos la mezcla en un molde y horneamos a 170 °C hasta que la masa esté bien cocida. Reservamos en frío.

4 A continuación retiramos el hueso de las cerezas y trituramos la pulpa con la ayuda de una batidora eléctrica de mano.

5 En un cazo hervimos las cerezas trituradas.

6 Mezclamos la pectina con el azúcar e incorporamos poco a poco a las cerezas. Removemos bien para que no se peguen y esperamos a que arranque el hervor.

7 Colocamos la mermelada de cerezas encima del pastel y dejamos enfriar durante 3 horas en el frigorífico.

» La leche de avena es una de las bebidas vegetales más sabrosas que hay. Rica en fibra, ayuda a reducir el colesterol, mejora la flora intestinal y el funcionamiento digestivo en general.

» La pectina es un ingrediente gelificante muy utilizado en la elaboración de mermeladas, confituras y jaleas. Se obtiene mediante extracción natural de materias vegetales.

Plum cake de rosas y frambuesas

6 personas ¦ 30 minutos ¦ Dificultad *

Ingredientes

200 g de harina
de trigo

120 g de azúcar
moreno

50 g de maicena

2 cucharaditas
de impulsor

1 cucharadita de sal

125 ml de aceite
de girasol

80 ml de agua

60 ml agua de rosas

10 frambuesas frescas

1 En un bol mezclamos la harina, el azúcar, la maicena, la sal y el impulsor.

2 Añadimos el aceite, el agua y el agua de rosas. Batimos bien hasta obtener una masa fina y homogénea.

3 Ponemos la masa en un molde de plum cake e introducimos las frambuesas en el interior de la masa.

4 Horneamos a 180°C hasta que la masa esté bien cocida.

» El aceite de girasol es una opción saludable por su riqueza en grasas insaturadas y vitamina E, así como su poder antioxidante. Su consumo ayuda a reducir los índices de colesterol y triglicéridos en sangre.

» La frambuesa es una de las frutas menos calóricas que hay (tan sólo 32 por cada 100 g), rica en manganeso, hierro, magnesio, fósforo, calcio y potasio.

» El agua de rosas se obtiene mediante un proceso de destilación de los pétalos de rosa y por su aroma e intenso sabor se utiliza en la elaboración de todo tipo de postres.

✓ *Cuidado con...*

Al introducir un palillo de madera para comprobar si el pastel ya está listo puede que pinchemos una frambuesa y nos confunda, ya que probablemente la punta salga húmeda. En este caso conviene asegurarnos pinchando de nuevo el bizcocho.

Cookies de chocolate

12 personas ┊ 20 minutos ┊ Dificultad *

Ingredientes

280 g de harina
de trigo

50 g de cacao en polvo

1/2 cucharadita
de bicarbonato

1 cucharadita de sal

220 g de azúcar
moreno

225 g de margarina

1 cucharadita
de vainilla

85 g de chocolate al
70 por ciento

1 En un bol mezclamos la harina, el bicarbonato, el cacao y la sal.

2 En otro recipiente mezclamos la margarina y el azúcar.

3 Incorporamos la harina al bol de la margarina y mezclamos la masa con cuidado de no apretarla mucho para conseguir una galleta blanda.

4 Picamos el chocolate en trozos muy pequeños e incorporamos a la masa junto a la vainilla. Mezclamos bien.

5 Preparamos varias cookies en una bandeja y horneamos a 180 °C durante 10 minutos.

Tarta sacher

12 personas ┊ 40 minutos ┊ Dificultad ✱✱✱

Ingredientes

300 g de harina
de trigo

225 g de azúcar moreno

1 cucharadita de sal

60 g de cacao en polvo

2 cucharaditas
de impulsor

1 cucharadita
de bicarbonato

250 ml de agua

130 ml de aceite
de girasol

Mermelada de
albaricoque

200 g de chocolate al
70 por ciento

150 g de margarina

50 g de aceite
de girasol

1. En un bol mezclamos la harina de trigo, el azúcar, la sal, el cacao, el bicarbonato y el impulsor.

2. Añadimos el agua y el aceite y batimos bien hasta obtener una masa fina y homogénea.

3. Introducimos 300 g de masa en 3 moldes redondos (20 cm diámetro), respectivamente y horneamos a 180 °C hasta que esté bien cocida. Reservamos en frío.

4. Extendemos mermelada por encima de 2 bizcochos y colocamos las 3 tres piezas una encima de la otra, dejando la que no lleva mermelada en la parte superior. Congelamos el pastel.

5. Fundimos el chocolate al baño maría junto a la margarina y el aceite. Emulsionamos con una batidora de mano.

6. Colocamos la tarta en una rejilla y recubrimos bien con el chocolate fundido.

Crema catalana

6 personas ¦ 10 minutos ¦ Dificultad *

Ingredientes

500 ml de leche de soja
1 rama de canela
1 limón
1 naranja
80 g de azúcar
20 g de harina de maíz
¼ cucharadita de
agar-agar
Azúcar para
caramelizar

1 Sumergimos el agar-agar en la leche de soja hasta que se diluya por completo.

2 Añadimos la canela, la ralladura del limón y la naranja y el azúcar. Llevamos la mezcla a ebullición.

3 Mezclamos la leche con la harina previamente diluida en un poco de agua.

4 En un cazo calentamos la mezcla a fuego lento y sin dejar de remover durante un par de minutos.

5 Repartimos la crema en 6 cuencos y dejamos enfriar en el frigorífico durante 3 horas.

6 Espolvoreamos con un poco de azúcar y caramelizamos antes de servir.

La crema catalana es un postre que suele elaborarse con leche de vaca y huevos. La alternativa vegana es muy sencilla y el resultado es igual de sabroso. Basta sustituir estos ingredientes por leche de soja y agar-agar. Este último componente ayuda a conseguir una textura firme y cremosa a este delicioso postre.

Flapjacks

12 personas ¦ 15 minutos ¦ Dificultad ✳

Ingredientes

350 g de avena
200 g de margarina
150 ml de sirope
de arce

1 En un bol fundimos la margarina al baño maría y mezclamos con el sirope de arce y la avena.

2 Colocamos la mezcla en una fuente de hornear.

3 Horneamos a 150 °C hasta que los bordes empiecen a estar bien dorados.

4 Reservamos en frío durante 3 horas y finalmente cortamos en rectángulos antes de servir.

Los **flapjacks** son barritas de cereales originarias de la cocina inglesa. Suelen elaborarse con avena pero también podemos utilizar todo tipo de frutos secos, pasas, orejones de albaricoque... Son perfectos para el desayuno o la merienda de los más pequeños.

Si lo prefieres...

Podemos utilizar sirope de
agave para que los **flapjacks**
no sean tan dulzones.
Pero eso dependerá de tu gusto
particular por lo dulce.

Flapjacks con cobertura de vainilla

12 personas ¦ 15 minutos ¦ Dificultad *

Ingredientes

350 g de avena

200 g de margarina

100 ml de sirope
de arce

200 g de azúcar glass

1 cucharadita
de vainilla

1 En un bol fundimos la margarina al baño maría y mezclamos con el sirope de arce y la avena.

2 A continuación colocamos la mezcla en una fuente de hornear.

3 Horneamos a 150 °C hasta que los bordes empiecen a estar dorados. Reservamos en frío.

4 En un bol mezclamos la margarina, el azúcar y la vainilla.

5 Finalmente extendemos la mezcla por encima de los flapjacks y cortamos en rectángulos.

Bizcocho de ciruela con avellanas y almendras

12 personas ¦ 30 minutos ¦ Dificultad ✳

Ingredientes

320 g de harina de trigo

250 g de azúcar

1 cucharadita de sal

2 cucharaditas
de impulsor

1 cucharadita de canela

180 ml de aceite
de girasol

250 ml de leche de soja

120 g de ciruelas

50 g de avellanas

50 g de almendras

1 En un bol mezclamos la harina, el azúcar, la sal, el impulsor y la canela.

2 Añadimos el aceite y la leche. Mezclamos bien hasta obtener una masa fina y homogénea.

3 Incorporamos las ciruelas, las avellanas y las almendras.

4 Introducimos la masa en un molde rectangular, espolvoreamos azúcar por encima y horneamos a una temperatura de 180 °C hasta que esté bien cocida.

Bizcocho light

6 personas ¦ 25 minutos ¦ Dificultad *

Ingredientes

200 g de harina
de trigo

1 cucharadita
de bicarbonato

1 cucharadita
de impulsor

½ cucharadita de sal

1 cucharadita de canela

80 ml de sirope
de agave

90 ml de aceite
de girasol

110 ml de leche
de arroz

1 En un bol mezclamos la harina, el bicarbonato, el impulsor, la canela y la sal.

2 Añadimos el sirope, el aceite y la leche de arroz. Batimos bien hasta obtener una masa fina y homogénea.

3 Introducimos la masa en un molde pequeño y horneamos a 150 °C hasta que esté bien cocida.

» El sirope de agave es un jugo vegetal dulce que se extrae de una especie de cactus originaria de América tropical y Caribe. Tiene el doble de poder edulcorante que el azúcar común gracias a su elevado contenido en fructosa y glucosa.

» La leche de arroz es una bebida vegetal muy recomendable en aquellas personas que padecen trastornos gástricos o digestiones lentas y pesadas.

Scones de arándanos

6 personas ¦ 25 minutos ¦ Dificultad *

Ingredientes

370 g de harina de trigo
130 g de azúcar
1 cucharada de polvo
de hornear
Una pizca de sal
2 limones
130 ml de agua
120 g de margarina
100 g de arándanos

1 En un bol mezclamos la harina, el azúcar, el polvo de hornear y una pizca de sal.

2 Incorporamos la margarina y amasamos hasta obtener una consistencia parecida a las migas.

3 Añadimos el agua y la ralladura de los limones. Seguimos amasando la mezcla.

4 Incorporamos los arándanos y formamos una masa circular.

5 Cortamos la masa en 6 porciones y horneamos a 180 °C durante 18 minutos.

» Los scones son unos deliciosos pastelillos de tradición anglosajona que suelen prepararse con frutos rojos como las frambuesas o los arándanos.

» La mejor temporada de los arándanos empieza en el mes de junio y dura hasta diciembre. A la hora de comprarlos conviene fijarse en el tono brillante e intenso de su piel y optar por los ejemplares más fragantes.

» El polvo de hornear se utiliza para aumentar el volumen de las masas y es especialmente recomendable en la elaboración de pasteles. Es más eficaz que el bicarbonato de sodio ya que actúa a una temperatura inferior y es totalmente insípido.

Bolas de coco

6 personas ¦ 30 minutos (más 2 horas para enfriarlas) ¦ Dificultad ✳

Ingredientes

1 taza de coco rallado

1 taza de harina
de almendra

½ taza de sirope
de agave

½ taza de aceite
de coco

¼ de cucharadita de sal

Coco rallado para
el rebozado

1 Introducimos el aceite de coco en un cuenco y calentamos al baño maría hasta conseguir una textura bien líquida.

2 En un bol mezclamos la taza de coco rallado, la harina, el sirope, el aceite de coco y la sal hasta obtener una masa bien homogénea y compacta.

3 Formamos pequeñas bolas con la masa resultante y las rebozamos con coco rallado.

4 Dejamos enfriar en la nevera durante un par de horas y servimos bien frías.

El aceite de coco es un aceite vegetal muy aromático y sabroso. Es rico en ácido láurico, un componente presente en la leche materna. Además de su uso culinario, es un excelente ingrediente para elaborar jabones y todo tipo de cosméticos caseros y naturales.

Flan de fresas

6 personas ¦ 20 minutos ¦ Dificultad ✳

Ingredientes

500 ml de leche
de arroz

80 g de sirope de agave

40 g de harina de maíz

1 vaina de vainilla

36 fresas (6 unidades
por persona)

100 g de azúcar

1 cucharadita de
caramelo líquido
(por flan)

Virutas de chocolate

1 Hervimos la leche de arroz con el sirope de agave y la vaina de vainilla (abierta por la mitad y sin las semillas).

2 Incorporamos la harina previamente diluida en un poco de agua y hervimos durante 3 minutos a fuego lento.

3 Extendemos una capa de caramelo en el fondo de 6 flaneras individuales.

4 Introducimos la mezcla colada en las flaneras y reservamos en frío durante 5 horas.

5 Licuamos una docena de fresas, añadimos el azúcar y llevamos a ebullición durante 3 minutos.

6 Añadimos el sirope por encima de las 24 fresas restantes y reservamos en frío.

7 Desmoldamos los flanes y servimos acompañados de unas cuantas fresas y virutas de chocolate previamente rallado.

Cupcake de té verde y sirope de arce

6 personas ┆ 45 minutos ┆ Dificultad ✳✳

Ingredientes

120 g de harina de trigo

30 g de maicena

1 cucharadita de polvo de hornear

½ cucharadita de sal

1 cucharada de té verde matcha

100 ml de agua

95 ml de sirope de arce

1 cucharadita de vainilla

90 ml de aceite de girasol

Para la crema:

60 g de margarina vegetal no hidrogenada

130 g de azúcar glass

½ cucharadita de té verde matcha

1 cucharada de leche de soja

1 En un bol mezclamos la harina, la maicena, la sal, el polvo de hornear y el té matcha.

2 Incorporamos el agua, el sirope de arce, la vainilla y el aceite de girasol.

3 Batimos la mezcla hasta obtener una masa fina y homogénea.

4 Introducimos la masa resultante en 6 moldes de madalena y horneamos a 180 °C hasta que los cupcakes estén listos. Pinchamos los bizcochos con un palillo de madera para comprobarlo.

5 Dejamos enfriar durante 3 horas en la nevera.

6 En otro bol mezclamos la margarina, el azúcar glass, el té verde y la leche.

7 Batimos con fuerza hasta que la crema no tenga grumos.

8 Introducimos la crema en una manga pastelera y decoramos cada madalena.

Los cupcakes son unos pastelitos típicos de los Estados Unidos. Deben su nombre a que antiguamente no existían moldes apropiados y se servían directamente en tazas (*cup* en inglés). Gracias a su aparición en la serie *Sexo en Nueva York* se han hecho muy populares fuera de ese país. Estos pastelitos suelen decorarse de forma muy vistosa, con distintas capas de color, formas...

Cupcake de mango y amaretto

6 personas ¦ 1 hora ¦ Dificultad ✳✳

Ingredientes

160 g de harina de trigo

10 g de maicena

½ cucharadita de sal

1 cucharadita de polvo de hornear

¼ de cucharadita de bicarbonato sódico

120 g de azúcar moreno

½ mango

110 ml de agua

½ cucharadita de esencia de vainilla

90 ml de aceite de girasol

½ vaso de amaretto

Para la crema:

60 g de margarina vegetal no hidrogenada

140 g de azúcar glas

6 cucharadas de amaretto

1 En un bol mezclamos la harina, la maicena, el azúcar, la sal, el polvo de hornear y el bicarbonato.

2 Incorporamos el agua, la vainilla y el aceite de girasol.

3 Pelamos y cortamos el mango en daditos muy pequeños e incorporamos a la masa.

4 Batimos la mezcla hasta obtener una masa fina y homogénea.

5 Repartimos la masa resultante en 6 moldes de madalena y horneamos a 180 °C hasta que los cupcakes estén listos. Pinchamos los bizcochos con un palillo de madera para comprobarlo.

6 Retiramos del horno, cubrimos cada cupcake con 1 cucharada de amaretto y dejamos enfriar durante 3 horas en la nevera.

7 En otro bol mezclamos la margarina, el azúcar glass y el amaretto.

8 Batimos con fuerza hasta que la crema no tenga grumos.

9 Introducimos la crema en una manga pastelera y decoramos cada madalena.

El **amaretto** es un licor de origen italiano elaborado a base de albaricoques y almendras. Su característico aroma y sabor suele combinar bien con todo tipo de recetas dulces.

Cupcake capuchino

6 personas ¦ 1 hora ¦ Dificultad **

Ingredientes

110 g de harina de trigo

60 g de maicena

20 g de cacao en polvo

1 cucharada de
café soluble

½ cucharadita de sal

1 cucharadita de polvo
de hornear

¼ de cucharadita de
bicarbonato sódico

120 g de azúcar
moreno

110 ml de agua

½ cucharadita de
esencia de vainilla

100 ml de aceite
de girasol

Para la crema:

60 g de margarina
vegetal no hidrogenada

140 g de azúcar glas

1 cucharada de
café molido

1. En un bol mezclamos la harina, la maicena, el cacao, el café, el azúcar, la sal, el polvo de hornear y el bicarbonato.

2. Incorporamos el agua, la vainilla y el aceite de girasol.

3. Batimos la mezcla hasta obtener una masa fina y homogénea.

4. Repartimos la masa resultante en 6 moldes de madalena y horneamos a 180 °C hasta que los cupcakes estén listos. Pinchamos los bizcochos con un palillo de madera para comprobarlo.

5. Dejamos enfriar durante 3 horas en la nevera.

6. En otro bol mezclamos la margarina, el azúcar glass y el café molido.

7. Batimos con fuerza hasta que la crema no tenga grumos.

8. Introducimos la crema en una manga pastelera y decoramos cada madalena.

9. Terminamos espolvoreando con un poco de cacao en polvo.

Cupcake de té verde y sirope de arce

Cupcake capuchino

Cupcake de mango y amaretto

"everyones favourite party cake"

Cupcake de rosas y frambuesas

6 personas ¦ 45 minutos ¦ Dificultad ✱✱

Ingredientes

150 g de harina de trigo

10 g de maicena

½ cucharadita de sal

1 cucharadita de polvo
de hornear

¼ de cucharadita de
bicarbonato sódico

110 g de azúcar moreno

125 g de frambuesas

100 ml de leche de soja

½ cucharadita de
esencia de vainilla

20 ml de agua de rosas

85 ml de aceite
de girasol

Para la crema:

60 g de margarina
vegetal no hidrogenada

140 g de azúcar glass

1 cucharada de agua
de rosas

1 En un bol mezclamos la harina, la maicena, el azúcar, la sal, el polvo de hornear y el bicarbonato.

2 Incorporamos la leche de soja, el agua de rosas, la vainilla y el aceite de girasol.

3 Batimos la mezcla hasta obtener una masa fina y homogénea.

4 Repartimos la masa resultante en 6 moldes de madalena e introducimos 3 frambuesas en el interior de cada cupcake (presionando la fruta con los dedos). Horneamos a 180 °C hasta que los cupcakes estén listos. Pinchamos los bizcochos con un palillo de madera para comprobarlo.

5 Dejamos enfriar durante 3 horas en la nevera.

6 En otro bol mezclamos la margarina, el azúcar glass y el agua de rosas.

7 Batimos con fuerza hasta que la crema no tenga grumos.

8 Introducimos la crema en una manga pastelera y decoramos cada madalena.

9 Terminamos decorando con un pétalo de rosa.

Si lo prefieres...

*Para preparar **agua de rosas** en casa hervimos 2 tazas de agua, introducimos 1 taza de pétalos de rosa y dejamos infusionar durante 30 minutos. Retiramos los pétalos y dejamos enfriar.*

Cupcake de chocolate y fresas

6 personas ¦ 45 minutos ¦ Dificultad **

Ingredientes

120 g de harina de trigo

10 g de maicena

½ cucharadita de sal

1 cucharadita de polvo de hornear

½ cucharadita de bicarbonato sódico

60 g de fresas

130 g de azúcar moreno

120 ml de agua

½ cucharadita de esencia de vainilla

90 ml de aceite de girasol

Para la crema:

60 g de margarina vegetal no hidrogenada

160 g de azúcar glas

1 cucharadita de esencia de vainilla

3 cucharadas de leche de soja

100 g de chocolate con 53 por ciento de cacao

1 En un bol mezclamos la harina, la maicena, el azúcar, la sal, el polvo de hornear y el bicarbonato.

2 Incorporamos el agua, la vainilla y el aceite de girasol.

3 Cortamos las fresas en pequeños trozos e incorporamos a la masa.

4 Batimos la mezcla hasta obtener una masa fina y homogénea.

5 Repartimos la masa resultante en 6 moldes de madalena y horneamos a 180 °C hasta que los cupcakes estén listos. Pinchamos los bizcochos con un palillo de madera para comprobarlo.

6 Dejamos enfriar durante 3 horas en la nevera.

7 Fundimos el chocolate al baño maría.

8 En otro bol mezclamos la margarina, el azúcar glass, la leche de soja, la vainilla y el chocolate fundido.

9 Batimos con fuerza hasta que la crema no tenga grumos.

10 Introducimos la crema en una manga pastelera y decoramos cada madalena.

11 Terminamos decorando cada cupcake con una pequeña fresa.

Tarta de melaza

6 personas ¦ 40 minutos ¦ Dificultad ✹✹

Ingredientes

200 g de harina
de trigo
80 g de azúcar glass
170 g de margarina
vegetal no hidrogenada

Para el relleno:
300 g de sirope de arce
180 g de pan rallado
3 limones

1 En un bol mezclamos la harina, el azúcar y la margarina. Amasamos durante 5 minutos.

2 Introducimos la masa en un molde. La cubrimos con papel de hornear y colocamos unas cuantas legumbres secas por encima para evitar que suba al calentarla.

3 Horneamos durante 15 minutos a 180 °C.

4 Sacamos del horno, dejamos enfriar y retiramos las legumbres y el papel de hornear.

5 En un cazo calentamos el sirope de arce hasta que hierva.

6 Rallamos 2 limones y extraemos su zumo.

7 Añadimos el pan, la ralladura y el zumo al sirope. Removemos bien y vertemos sobre la masa.

8 Con la masa sobrante hacemos varias tiras y las colocamos encima del relleno hasta cubrirlo por completo. Decoramos la superficie con varias rodajas de limón.

9 Horneamos durante 30 minutos a 170 °C.

10 Dejamos reposar en la nevera durante 4 horas y servimos.

Galletas de coco y frambuesa

6 personas ¦ 40 minutos ¦ Dificultad ✳

Ingredientes

300 g de harina
de trigo

120 g de azúcar

180 g de margarina

45 g de almendra
en polvo

1 cucharadita
de vainilla

¼ de cucharadita de sal

1 bote de mermelada
de frambuesa

Coco rallado

1 En un bol mezclamos la harina, el azúcar, la margarina, la vainilla, la almendra en polvo y la sal hasta obtener una masa homogénea.

2 Estiramos la masa añadiendo un poco de harina para que no se pegue. Con la ayuda de un cortapastas recortamos pequeños círculos de unos 7 cm de diámetro.

3 Colocamos la masa encima de una bandeja recubierta con papel de hornear e introducimos en el horno durante 10 minutos a unos 160 °C.

4 Reservamos las galletas a temperatura ambiente durante 1 hora.

5 Para el relleno, untamos una galleta con mermelada de frambuesa, cerramos con otra galleta y rebozamos los bordes con coco rallado. Repetimos la misma operación con las otras galletas.

6 Finalmente, introducimos las galletas en la nevera durante 2 horas para servirlas bien frías.

Tarta de limón

6 personas ┊ 1 hora y 15 minutos ┊ Dificultad ✷✷✷

Ingredientes

Para las tartaletas:

75 g de margarina no hidrogenada

15 g de almendra en polvo

40 g de azúcar glass

130 g de harina de trigo

Para el relleno:

2 limones

100 ml de leche de soja

120 g de azúcar

60 g de agua

50 g de maicena

70 g de aceite de maíz

Para la mantequilla:

100 g de margarina no hidrogenada

200 g de azúcar glass

1 limón

1 Empezamos con las tartaletas. En un bol mezclamos la margarina, la almendra, el azúcar glass y la harina hasta obtener una masa bien homogénea. Cubrimos la mezcla con papel film y reservamos durante 2 horas en la nevera.

2 Una vez fría, estiramos la masa con la ayuda de un rodillo añadiendo un poco de harina para que no se pegue.

3 Colocamos 6 pequeños moldes circulares sin fondo sobre la placa del horno e introducimos la masa en su interior.

4 Cubrimos la superficie de los moldes con papel de hornear y varios garbanzos por encima para evitar que suba la masa.

5 Horneamos a 150 °C durante 15 minutos. Retiramos los garbanzos y el papel de hornear. Dejamos enfriar.

6 Para el relleno mezclamos la ralladura y el zumo de los limones con la leche de soja y el azúcar. Cocemos a fuego lento.

7 En otro cazo hervimos el agua y la maicena e incorporamos la mezcla de limón. Removemos bien durante un par de minutos.

8 Retiramos el cazo del fuego y añadimos el aceite.

9 Introducimos el relleno de limón en las tartaletas y dejamos enfriar durante un par de horas en la nevera.

10 Para elaborar la mantequilla, batimos la margarina y el azúcar glass hasta que no tenga grumos. Añadimos poco a poco el zumo del limón y su ralladura. Introducimos la mantequilla en una manga pastelera y decoramos las tartaletas.

Rocas de Montserrat

6 personas ¦ 30 minutos ¦ Dificultad *

Ingredientes

250 ml de leche de soja
1 vaina de vainilla
5 hojas de menta
100 g de sirope de arce
500 g de chocolate
negro al 70 por ciento
100 g de cacao
en polvo
100 g de azúcar glas

1 En un cazo llevamos a ebullición la leche de soja con la vaina de vainilla (abierta por la mitad y sin las semillas), el sirope de arce y las hojas de menta.

2 Retiramos del fuego, colamos y mezclamos con el chocolate. Emulsionamos con la ayuda de una batidora de mano hasta conseguir una textura untuosa. Reservamos en el frigorífico durante 1 hora y media.

3 En un bol aparte mezclamos el azúcar glass y el cacao en polvo.

4 Elaboramos pequeñas trufas con el chocolate reservado y utilizamos la mezcla del cacao para rebozarlas. Finalmente las introducimos en el frigorífico para servirlas bien frías.

Pastel de chocolate y café

6 personas ¦ 1 hora ¦ Dificultad: Baja ✳✳

Ingredientes

Para el bizcocho:

150 g de harina de trigo

130 g de azúcar moreno

½ cucharadita de sal

1 cucharadita de bicarbonato

1 cucharadita de polvo de hornear

40 g de cacao en polvo

10 g de café en polvo

120 g de aceite de girasol, 125 ml de leche de soja, 1 cucharadita de vainilla líquida

Para la crema:

200 g de margarina no hidrogenada

2 cucharadas de aceite de girasol

100 g de chocolate (70% de cacao)

125 g de azúcar glass

1 cucharadita de café soluble, 4 cucharadas de leche de avellana

1 En un bol mezclamos la harina, el azúcar, la sal, el bicarbonato, el polvo de hornear, el cacao y el café.

2 Incorporamos el aceite, la leche de soja y la vainilla líquida. Mezclamos bien hasta conseguir una masa homogénea.

3 Introducimos la masa en un molde redondo de unos 20 cm de diámetro y horneamos a 180 °C hasta que el pastel esté listo. Pinchamos con un palillo de madera para comprobarlo (si sale limpio y seco ya podemos detener la cocción).

4 Dejamos enfriar en la nevera durante 6 horas.

5 Fundimos el chocolate en un bol al baño maría.

6 En otro bol mezclamos la margarina, el aceite, el chocolate y el azúcar glass. Con la ayuda de unas varillas batimos con fuerza hasta obtener una crema sin grumos.

7 Poco a poco incorporamos la leche de avellanas y el café soluble. Seguimos batiendo con fuerza.

8 Con la ayuda de una espátula o un cuchillo grande untamos el bizcocho con la crema de chocolate.

9 Reservamos en la nevera durante 3 horas y servimos bien frío.

La **margarina** no hidrogenada es una alternativa mucho más sana que las tradicionales margarinas. Ello se debe a su bajo o nulo contenido de grasa hidrogenada o trans, perjudicial para nuestra salud cardiovascular.

La **leche de avellana** es un excelente complemento en la alimentación diaria. Es rica en vitamina A y E, ácido fólico, calcio, magnesio y fibra. Además, contiene proteínas vegetales de excelente calidad, ideales en la dieta de las personas veganas.

Chupa-chups de plátano

6 personas ¦ 20 minutos ¦ Dificultad ✳

Ingredientes

1 plátano

50 g de crocanti
de almendras

200 g de chocolate con
70% de cacao

150 g de margarina

50 g de aceite
de girasol

12 brochetas largas
de madera

1 Insertamos una rodaja de plátano en cada brocheta e
introducimos en el congelador.

2 En un bol fundimos el chocolate y la margarina al baño maría.

3 Incorporamos el aceite de girasol y mezclamos bien.

4 Bañamos las rodajas de plátano con el chocolate fundido y
añadimos la almendra crocanti.

5 Servimos bien frío pero no congelado.

Para elaborar un sencillo crocanti de almendras casero basta con
triturar 100 g de almendras crudas y saltearlas en una sartén con
1 cucharada de aceite de oliva o girasol. Cuando empiecen a tostarse
incorporamos 1 cucharada de azúcar y mezclamos bien. Cuando el
azúcar se haya disuelto, apartamos del fuego y dejamos enfriar.

Batido de ron y
plátano

6 personas ¦ 5 minutos ¦ Dificultad *

Ingredientes

6 plátanos, 4 cucharadas de azúcar moreno,
600 ml de leche de soja, 250 ml de ron,
50 g de pasas

1 Pelamos y cortamos los plátanos
en rodajas.

2 Trituramos todos los ingredientes hasta
obtener un batido bien cremoso.

3 Dejamos reposar en frío y servimos en
6 copas.

Batido de aguacate
y chocolate

6 personas ¦ 10 minutos ¦ Dificultad *

Ingredientes

3 aguacates, 80 g de azúcar moreno,
1,2 l de leche de soja, 1 cucharada de
cacao en polvo, 1 cucharadita de esencia
de vainilla

1 Pelamos los aguacates y reservamos
medio ejemplar.

2 Trituramos y mezclamos los aguacates con
600 ml de leche de soja y el azúcar hasta
obtener una crema fina y homogénea.

3 Rellenamos los vasos hasta la mitad con el
batido resultante.

4 Mezclamos la leche sobrante con el cacao,
la esencia de vainilla y el aguacate que
habíamos reservado.

5 Incorporamos la mezcla a cada vaso con
cuidado de no romper la estructura del
batido inferior de aguacate. Servimos frío.

Batido de frambuesa
y saúco

6 personas ¦ 5 minutos ¦ Dificultad *

Ingredientes

800 g de frambuesas, 5 flores de saúco, 300 ml
de leche de soja, 100 g de azúcar, 1 cucharadita de
esencia de vainilla

1 Trituramos y mezclamos todos los
ingredientes hasta obtener una crema fina
y homogénea.

2 Servimos en 6 vasos y decoramos con
flores de saúco y frambuesas.

Si lo prefieres...

Se pueden utilizar **flores de saúco**
en todo tipo de ensaladas,
como complemento en recetas
dulces y saladas, así como
para preparar aromáticas
infusiones.

Recetario alfabético

Para saber más...

En las librerías...

- BLASCO, Mercedes: *Cocina vegetariana para las 4 estaciones*, Ed. Océano-Ambar, Barcelona, 2008.
- BRADFORD, Montse: *El libro de las proteínas vegetales*, Ed. Oceáno-Ambar, Barcelona, 2008.
- BUZO, Rocío: *Mi libro de cocina vegana*, Ed. Océano-Ambar, Barcelona, 2003.
- PARISI, Hilda: *Aperitivos vegetarianos*, Ed. Océano-Ambar, Barcelona, 2007.

En Internet...

- **Lujuria vegana**
  www.lujuriavegana.com; www.facebook.com/lujuriavegana
- **Delicooks.** Entrevista con el autor del libro, Toni Rodríguez.
  www.delicooks.com
- **Asociación Vegana Española** (AVE)
  www.ivu.org/ave
- **CreatiVegan.** Cocina vegana creativa
  www.creativegan.net
- **Gastronomía Vegana**
  www.gastronomiavegana.org
- **Unión Vegetariana Española** (UVE)
  www.unionvegetariana.org
- **WikiVegan**
  www.wikivegan.org
- **Mundo Vegetariano**
  www.mundovegetariano.com
- **Anima Naturalis**
  www.AnimaNaturalis.org
- **Hazte vegetariano**
  www.haztevegetariano.com

Glosario de ingredientes para Latinoamérica

Muchos de los ingredientes que aparecen en este libro reciben distintos nombres en los países de Latinoamérica. Este breve glosario pretende facilitar la comprensión de dichos términos a un lado y otro del Atlántico:

- Aguacate: avocado, cura, palta, abacate
- Albahaca: basílico, hierba del vaquero, alfavaca, alhabaga
- Albaricoque: damasco, chabacano, apricot, albérchigo
- Alcachofa: alcaucil
- Apio: esmirnio
- Azafrán: zafrón
- Boniato: batata, papadulce, kumara, cara o jetica, moniato o camote
- Cacahuete: maní
- Calabacín: zapallito, hoco, chauchita, calabacita, zuchini, auyama
- Calabaza: auyama, zapallo
- Cereza: guinda, picota
- Cilantro: hierba de limón
- Ciruela pasa: almeixa
- Ciruela: guindón
- Cúrcuma: palillo
- Garbanzo: chicharro
- Guisante: arveja, ervlhas, chícharo
- Fresa: frutilla, morango
- Harina de maíz: capi

- Alubia: poroto, frijol, guandú, fréjol, habichuela
- Judía verde: caraota, chaucha, bajoca, vaina, ejote
- Lechuga: alface
- Limón: citrón
- Maíz: choclo, elote, jojoto, chilote
- Melocotón: durazno
- Nabo: coyocho, colinabo
- Níspero: sapote
- Patata: papa
- Pimiento: ají
- Piña: ananás
- Pistacho: alfóncigo
- Plátano: banana
- Pomelo: pamplemusa, toronja
- Puerro: ajo porro
- Remolacha: betabel, beterrave, beterraca, betarraga
- Romero: rosmarino
- Sandía: chicayote, cayote, alcayota
- Sésamo: ajonjolí
- Tomate: jitomate

Mis recetas

Mis recetas

Mis recetas

Mis recetas

Mis recetas

Mis recetas

Agradecimientos

Después de cinco años entre fogones y varillas he conseguido hacer mi primer libro de cocina vegana. Han sido unos años muy duros por todo lo que ha conllevado: trabajo, constancia, disciplina, madrugones, paciencia, préstamos, lloros, ruegos, platos buenos, platos malos, dolores de cabeza, risas, de restaurante en restaurante, más trabajo... Pero siempre con el apoyo de muchas personas en todos esos momentos.

Quiero agradecer a la editorial Oceano, especialmente a Jordi, Esther y Pere por su paciencia y por su trabajo bien hecho. A Carla (www.IraMakeUp.com) por hacer que el pastel de zanahoria sea el más conocido en el mundo entero y ser la mejor modelo que he tenido. A Jonathan por comerte esos bordes de brownie. A Balu, Saul, Cristian Torrent, Jose el gordo, Adri y a sus padres, a los *Blisters on the fingers*, a los *Sexy Rockets*, a Barbi, Marc Lenoir, a Adri, Eva y Sara de Gopal, al restaurante Biocenter, a Chiara y Sara del Sésamo, al Pelucas (Pedro) y su *Boom Boom Rest*, Sonia Capo, Rosa, Salva y Whisky, a Javi Espiritual Chef por toda esa comida cruda con la que nos ilumina y nos llena de amor. A Dani de la tienda Vegania, a las chicas de la cafetería por darme esas tardes con un buen café. A Borja y Jordi, que andan perdidos en el mundo del cine y la fama, agradecerles de todo corazón todo el apoyo que me han dado siempre que lo he necesitado. A Adriana y Jaume, de la revista Cocina Vegetariana, por darme ese gran empujón. Al maravilloso equipo de Becky Lawton, por aguantarme días y días, y confiar tanto en mí haciendo realidad este libro. A Francisco Vásquez y Leonora Esquivel, por hacer posible que este mundo sea cada día más justo con los animales, por haberme visto crecer y apoyarme en mi faceta culinaria desde el primer día y por haber estado siempre a mi lado cuando los he necesitado, ¡sois increíbles! A la persona que me ha dado todo su amor y confianza mientras realizaba este libro: gracias, Alba. A Ana, Eduardo Padrós, Fran, Jenny, Dani, Gabriel y Rosa, por haber hecho que mi sueño se haga realidad. No se qué decir de mi familia, lo que diga es poco, siempre están a mi lado cuando los necesito y saben que siempre me tienen para lo que necesiten, mis tíos, mis primas, mi hermanos Diana y Luis, la Lupita, mi primer perro Cobi y mi padre y mi madre que son los culpables de que sea así.